La collana Letture Graduat
proposta completa di libri per lettori di
diverse età e comprende accattivanti storie
contemporanee accanto a classici senza
tempo. La collana è divisa in tre, **Letture
Graduate ELI Bambini, Letture Graduate
ELI Giovani, Letture Graduate ELI Giovani
Adulti**. I libri sono ricchi di attività, sono
attentamente editati e illustrati in modo da
aiutare a cogliere l'essenza dei personaggi
e delle storie. I libri hanno una sezione
finale di approfondimenti sul periodo
storico e sulla civiltà, oltre a informazioni
sull'autore.

FSC
www.fsc.org
MISTO
Da fonti gestite in
maniera responsabile
FSC® C019318

La certificazione FSC
garantisce che la carta usata
per questo libro proviene
da foreste certificate,
per promuovere l'uso
responsabile delle foreste
a livello mondiale.

Per questa collana
sono stati piantati
5000 alberi.

Alessandro Manzoni

I promessi sposi

Adattamento e attività di Giorgio Massei
e Margherita Moscatelli
Illustrazioni di Cristina Spanò

LETTURE GRADUATE  GIOVANI ADULTI

EDULÍNGUA
Laboratorio di lingua e cultura italiana

I promessi sposi
Alessandro Manzoni
Adattamento e attività di Giorgio Massei e Margherita Moscatelli
Illustrazioni di Cristina Spanò

Letture Graduate ELI
Curatori della collana
Paola Accattoli, Grazia Ancillani, Daniele Garbuglia (Art Director)

Progetto grafico
Airone Comunicazione - Sergio Elisei

Impaginazione
Airone Comunicazione - Marcello Muzi

Direttore di produzione
Francesco Capitano

Foto
Shutterstock, Archivio ELI.

© 2014 ELI s.r.l.
P.O. Box 6
62019 Recanati MC
Italy
T +39 071750701
F +39 071977851
info@elionline.com
www.elionline.com

Il testo è composto in Monotype Dante 11,5 / 15

Stampato in Italia presso Tecnostampa Recanati – ERA 322.01

ISBN 978-88-536-1763-7

Prima edizione: febbraio 2014

www.elireaders.com

Indice

6	Personaggi principali	
8	Attività	
10	Capitolo 1	**L'amore ostacolato**
18	Attività	
20	Capitolo 2	**Storia di due anime**
28	Attività	
30	Capitolo 3	**L'addio**
37	Attività	
40	Capitolo 4	**La monaca di Monza**
48	Attività	
50	Capitolo 5	**Milano e la carestia**
58	Attività	
60	Capitolo 6	**Il cambiamento di Renzo**
68	Attività	
70	Capitolo 7	**Lucia e l'innominato**
78	Attività	
80	Capitolo 8	**La peste**
88	Attività	
90	Capitolo 9	**L'incontro**
100	Attività	
102	Dossier	**Alessandro Manzoni**
104	Dossier	**I promessi sposi**
106	Dossier	**Milano e la Lombardia: un po' di storia**
108	Dossier	**I promessi Sposi al cinema, tv e teatro**
110	Test finale	
111	Sillabo	

Le icone indicano le parti registrate. **Inizio** ▶ **Fine** ■

DON RODRIGO

DON ABBONDIO

FRA CRISTOFORO

PERPETUA

I BRAVI

LA MONACA DI MONZA

AZZECCAGARBUGLI

AGNESE

L'INNOMINATO

Comprensione

1 La storia si svolge in Lombardia, tra il lago di Como, Bergamo
e Milano. Guarda la zona su una cartina d'Italia. Che forma ha il
lago di Como?

- ☐ di una T rovesciata
- ☐ di una N rovesciata
- ☐ di una Y rovesciata

Lessico

2 Ecco alcuni dei personaggi più importanti del romanzo. Associa
ogni personaggio alle sue caratteristiche.

1 ☐  3 ☐  5 ☐

2 ☐  4 ☐  6 ☐

- **a** Signorotto prepotente e senza pietà.
- **b** Frate umile e caritatevole, al servizio di Dio.
- **c** Giovane operaio.
- **d** Prete pauroso e senza coraggio.
- **e** Ragazza semplice e buona.
- **f** Donna misteriosa, dallo sguardo severo e triste.

3 Ora che hai visto i personaggi, secondo te, quali luoghi troverai nel romanzo?

- ☐ un castello
- ☐ un piccolo paese
- ☐ una grande città
- ☐ un'isola
- ☐ un convento
- ☐ un ospedale
- ☐ un ristorante
- ☐ un albero

4 Ora prova a immaginare la storia, sfogliando le pagine e osservando le immagini presenti in ogni capitolo. Scrivi dalle 150 alle 170 parole. Una volta terminata la lettura del libro, verifica se le tue ipotesi erano giuste!

C'era una volta...

_____

_____

_____

_____

_____

_____

_____

_____

_____

_____

_____

_____

_____

_____

_____

_____

_____

_____

_____

_____

_____

_____

Capitolo 1

L'amore ostacolato

▶ 2 Quel ramo* del lago di Como che, fra due catene* di monti, si restringe fino a sparire, per poi far nascere il fiume Adda, ha intorno delle terre dove si trovano la cittadina di Lecco ed altri paesini e paesetti addormentati sulle sue rive. Dalle cime alla riva corrono strade e stradine ripide o piane.

Per una di queste stradine tornava bel bello dalla passeggiata verso casa, la sera del 7 novembre 1628, don Abbondio, parroco* di una di quelle terre. Il nostro prete camminava e pregava tranquillo. Qualche volta chiudeva il libro di preghiere, usando un dito della mano destra come segnalibro, e continuava la sua passeggiata guardando a terra e buttando con un piede verso il muro i sassi della stradina. Poi alzava il viso e, girati pigramente gli occhi, guardava la parte di un monte dove la luce del sole, già scomparso, illuminava i massi più grandi.

Ma questa volta il parroco vede qualcosa che non avrebbe voluto vedere. Due uomini con la barba lunga e gli occhi cattivi stanno in piedi uno di fronte all'altro. Indossano una cintura di pelle con due

---

ramo (qui) parte di un lago lunga e stretta
catene (qui) file, gruppi di monti

parroco sacerdote a capo di una chiesa locale

pistole che non lascia dubbi: si tratta di due bravi★, al servizio di Don Rodrigo, un signorotto★ prepotente del luogo. I bravi s'avvicinano, guardando fisso★ il povero don Abbondio.

– Signor parroco! – dice uno dei due.

– Cosa comanda? – risponde subito don Abbondio.

– Voi avete intenzione di unire domani in matrimonio Renzo Tramaglino e Lucia Mondella!

– Cioè… – risponde con voce tremante★ don Abbondio, – io non c'entro★. Io sono un povero parroco.

– Bene, – gli dice il bravo all'orecchio, ma con tono di comando, – questo matrimonio non va fatto, né domani, né mai. Avete capito?!

Don Abbondio non era nato con un cuore di leone e teneva molto alla sua sicurezza e alla sua tranquillità. Non nobile, non ricco, coraggioso ancora meno, sapeva di essere come un vaso di terracotta costretto a viaggiare in compagnia di molti vasi di ferro e così si era fatto prete. Quando era costretto a scegliere tra due persone in conflitto, stava sempre con il più forte. Insomma il pover'uomo era riuscito a passare i sessant'anni senza grandi problemi. Il suo motto era: se un uomo pensa ai fatti suoi, non gli succedono mai brutti incontri. Ma ora, visto il carattere e i pensieri del poveretto, si capisce bene il grande spavento★ che le brutte facce dei bravi avevano provocato in lui. La sua vita tranquilla gli era costata tanti anni di studio e di pazienza e, così, pensava:

– Ah, questi ragazzacci che, non sapendo cosa fare, si innamorano poi vogliono sposarsi e non pensano ad altro! Non capiscono i problemi in cui mettono un brav'uomo come me? Che c'entro io? Sono io che voglio sposarmi? Perché non sono andati a parlare con qualcun altro?

Intanto il nostro don Abbondio, perso nei suoi mille pensieri,

---

bravi uomini armati e pericolosi, al servizio di signori potenti
signorotto uomo ricco e potente che ha terre e servi
fisso (qui) a lungo e con attenzione

tremante non ferma per la paura o l'emozione
io non c'entro la cosa non è colpa mia e non mi riguarda
spavento grande paura

arriva a casa e, ansioso di trovare una persona fidata, chiama subito:

– Perpetua! Perpetua!

Perpetua era la domestica affezionata e fedele di don Abbondio, sapeva ubbidire e comandare se necessario, tollerare le lamentele* del padrone e fargli tollerare le sue. Queste anzi diventavano sempre più frequenti da quando aveva passato i quarant'anni senza essere sposata... per aver rifiutato tutti gli uomini che l'avevano corteggiata, come diceva lei, o per non avere mai trovato nessuno che la voleva, come dicevano le sue amiche!

– Misericordia! Che cos'ha, signor padrone?

– Niente, niente... – risponde don Abbondio.

– Come, niente? Non ci credo, ha una faccia così spaventata!

– Oh, per amor del cielo! Quando dico "niente", o è niente o è una cosa che non posso dire.

– Qualcosa che non può dire nemmeno a me? Chi si prenderà cura della sua salute? Chi le darà un consiglio?

– Oh! Zitta!

– Allora posso domandare in giro qua e là quello che è successo al mio padrone... – insiste Perpetua, dritta davanti a lui, con le mani sui fianchi, guardandolo fisso come per tirare fuori dai suoi occhi il segreto.

– Per amor del cielo! Non devi domandare in giro, c'è in gioco la vita!

– La vita?

– La vita.

Il fatto è che don Abbondio aveva tanta voglia di parlare del suo dolore quanta ne aveva Perpetua di conoscerlo e così, dopo molte raccomandazioni, le racconta tutto.

---

lamentele insoddisfazioni, proteste

Don Abbondio pensa e ripensa ad una soluzione e la migliore che gli viene in mente è quella di guadagnare tempo, trovando una scusa per rimandare la data del matrimonio. La nottata del parroco è lunga e piena di brutti sogni: bravi, Don Rodrigo, Renzo, strade, stradine, fughe, grida, spari*.

Lorenzo, o come dicevano tutti, Renzo, la mattina dopo si presenta a casa del parroco con quell'allegra fretta di un uomo di vent'anni che deve, in quel giorno, sposare la ragazza che ama. Era, fin dall'adolescenza, rimasto senza famiglia e lavorava come filatore di seta*. Il lavoro diminuiva di giorno in giorno, ma l'emigrazione continua dei filatori, che cercavano fortuna nelle terre vicine, lasciava più lavoro a chi rimaneva in paese.

Oltre a questo, Renzo possedeva un piccolo terreno che lavorava lui stesso quando non c'era lavoro al filatoio. Insomma, se la passava bene*. Quell'annata* però era più scarsa delle precedenti e già si cominciava a sentire una vera carestia*, ma Renzo – che da quando aveva messo gli occhi addosso* a Lucia era diventato risparmiatore – non doveva combattere con la fame.

Renzo, dunque, arriva davanti a don Abbondio ben vestito, con penne di diversi colori al cappello, con il suo bel coltello nel taschino dei pantaloni e con un'aria di festa e di spavalderia* comune, a quei tempi, anche agli uomini più tranquilli.

– Sono venuto, signor parroco, per sapere a che ora dobbiamo essere in chiesa.

– Di che giorno volete parlare?

– Come, di che giorno? Non ricordate che abbiamo deciso per oggi il matrimonio?

---

spari colpi di pistola
filatore di seta operaio che produce filo di seta
passarsela bene stare bene economicamente
annata produzione di frutta e verdura dell'anno

carestia miseria, fame
mettere gli occhi addosso essere interessato
spavalderia molta sicurezza di sé

– Oggi?! – risponde don Abbondio come cadendo dalle nuvole*. – Oggi, oggi... mi dispiace ma oggi non posso.

– Oggi non può? Cos'è successo?

– Prima di tutto non mi sento bene.

– Mi dispiace, ma non sono necessari molto tempo e molta fatica per fare quello che dovete fare.

– E poi, e poi, e poi...

– E poi che cosa?

– E poi ci sono degli impicci*.

– Degli impicci? Che impicci ci possono essere? In nome del cielo, che cosa è successo?

– Per fare un matrimonio in regola sono necessarie tante formalità.

– E io ne ho già sbrigate* molte. Non abbiamo fatto tutto quello che dovevamo fare? Potete spiegarmi cos'è quest'altra formalità che bisogna sbrigare, così la sbrigherò subito?

– *Error, conditio, votum, cognatio, crimen, Cultus disparitas, vis, ordo, ligamen, onestas, Si sis affinis...* – comincia don Abbondio contando sulla punta delle dita, parlando in latino per confondere le idee a Renzo e prendere tempo.

– Mi prendete in giro? Che cosa ci faccio con il vostro latinorum*?

– Dunque, se non sa le cose, deve avere pazienza e fiducia in chi le sa.

– Ma insomma!

– Via, caro Renzo, non si deve arrabbiare, io sono pronto a fare tutto quello che dipende da me. Io vorrei vederla contento, le voglio bene io. Eh! Quando penso che stava così bene! Cosa le mancava? Perché le è venuta l'idea di sposarsi?

– Che discorsi sono? – esclama Renzo con un tono sorpreso e arrabbiato insieme.

---

cadere dalle nuvole essere molto sorpreso
impicci difficoltà, problemi

sbrigare risolvere
latinorum modo scorretto di dire 'latino'

– Dico per dire. Vorrei solo vederla contento.

– Insomma…

– Insomma, figliuolo caro, io non ho colpa, la legge non l'ho fatta io.

– Ma io voglio sapere qual è il problema!

– Non si possono spiegare brevemente queste cose. Non ci sarà niente, spero, ma nonostante questo, dobbiamo fare le ricerche necessarie. Il testo è chiaro: *antequam matrimonium denunciet…*

– Vi ho detto che non voglio latino!

– Ma devo spiegarvi…

– Ma non le avete già fatte queste ricerche?

– Non le ho fatte tutte.

– Perché non le avete fatte tutte?

– Ecco! Mi rimproverate la mia troppa bontà! Ho facilitato ogni cosa ma ora…

– E che devo fare io?

– Dovete avere pazienza per qualche giorno. Figliuolo caro, qualche giorno non è poi l'eternità.

– Per quanto?

– In quindici giorni cercherò…

– Quindici giorni?! Oh questa sì che è nuova! Abbiamo fatto tutto quello che avete voluto, abbiamo fissato il giorno, il giorno arriva e ora devo aspettare quindici giorni! Quindici…

– Via, non dovete arrabbiarvi, per amor del cielo!

– Avrò pazienza per una settimana, ma passata questa non mi accontenterò più di chiacchiere.

Renzo non era convinto di tutta quella storia, gli sembrava tutto molto misterioso e confuso. Uscendo dalla casa di don Abbondio vede Perpetua, la raggiunge e le dice:

– Buongiorno Perpetua, fatemi un favore! Il signor parroco mi ha detto che oggi il mio matrimonio non si può celebrare per ragioni che non ho ben capito: potete spiegarmi voi perché non può o non vuole sposare me e Lucia oggi?

– Io non conosco i segreti del mio padrone.

– Allora un mistero c'è! – pensa Renzo e per scoprirlo continua. – Via, Perpetua, siamo amici, ditemi quello che sapete, aiutate un povero ragazzo...

– Brutta cosa nascere poveri, mio caro Renzo.

– È vero, – risponde Renzo, sempre più sicuro dei suoi sospetti*.

– Quando dico che non so niente... In difesa del mio padrone posso parlare, perché lui non vuole far dispiacere nessuno. Pover'uomo! Se sbaglia è per troppa bontà. A questo mondo ci sono dei birboni*, dei prepotenti, degli uomini senza timor di Dio...

Renzo saluta Perpetua, corre verso casa di don Abbondio ed entrato gli chiede con tono deciso e infuriato*:

– Chi è quel prepotente che non vuole che io e Lucia ci sposiamo?

– Che? Che? Che? – balbetta* il povero don Abbondio.

– Lo voglio sapere!

– Ma se parlo, sono morto. La mia vita non è importante?

– Voglio la verità!

Così don Abbondio con il volto e con lo sguardo di chi ha le pinze del dentista in bocca dice:

– Don... Don Rodrigo!

– Ah, cane! – urla infuriato Renzo.

---

sospetti dubbi
birboni furbi e cattivi

infuriato molto arrabbiato
balbettare parlare con interruzioni e ripetizioni

Comprensione

1 Leggi le seguenti frasi e decidi se sono vere (V) o false (F).

V F

1 L'Adda è un fiume che nasce dal lago di Como. ☐☐
2 La storia è ambientata nel 1728. ☐☐
3 Don Abbondio è un signorotto prepotente. ☐☐
4 I bravi sono uomini armati e pericolosi. ☐☐
5 I bravi minacciano don Abbondio. ☐☐
6 Renzo crede a tutto quello che gli dice don Abbondio. ☐☐
7 Renzo è un ragazzo molto povero. ☐☐
8 Perpetua sa mantenere un segreto. ☐☐

2 Scegli la risposta corretta.

1 I bravi ordinano a don Abbondio di:
   a ☐ rimandare il matrimonio tra Renzo e Lucia.
   b ☐ non celebrare il matrimonio tra Renzo e Lucia.
   c ☐ celebrare subito il matrimonio tra Renzo e Lucia.

2 Don Abbondio, con Renzo, usa delle frasi latine perché:
   a ☐ vuole confonderlo ed evitare altre domande.
   b ☐ vuole mostrare a Renzo la sua cultura.
   c ☐ vuole sottolineare la differenza fra lui e Renzo.

3 Renzo, per vivere:
   a ☐ fila la seta.
   b ☐ fila la seta e possiede un piccolo terreno.
   c ☐ fila la seta e lavora il campo di un signorotto locale.

4 Don Abbondio sembra "cadere dalle nuvole", cioè:
   a ☐ non ricordarsi che Renzo e Lucia si devono sposare.
   b ☐ avere un altro impegno.
   c ☐ non volere questo matrimonio.

Lessico

3 Trova due aggettivi per spiegare il significato di ogni espressione sottolineata.

1 "Per una di queste stradine tornava <u>bel bello</u> dalla passeggiata verso casa, don Abbondio".

_____   _____

2 "Don Abbondio non era nato con <u>un cuor di leone</u>".

_____   _____

3 "Don Abbondio sapeva di essere <u>come un vaso di terracotta</u> costretto a viaggiare in compagnia di molti <u>vasi di ferro</u>".

_____   _____

Grammatica

4 Completa le frasi utilizzando i pronomi diretti o indiretti.

1 Perpetua sapeva tollerare le lamentele del padrone e far____ tollerare le sue.

2 Renzo non era convinto di tutta quella storia, ____ sembrava tutto molto misterioso.

3 Uscendo dalla casa di don Abbondio Renzo vede Perpetua, ____ raggiunge e ____ dice: "Il signor parroco ____ ha detto che oggi il mio matrimonio non si può celebrare per ragioni che non ho ben capito: potete spiegar____ voi meglio?"

4 Renzo corre verso casa di don Abbondio ed entrato ____ chiede con tono deciso e infuriato: "Chi è quel prepotente che non vuole che io e Lucia ci sposiamo?".

Scriviamo

5 Scrivi brevemente il tipo di rapporto che lega questi personaggi.

1 Don Abbondio - Perpetua _____

2 Renzo – Lucia _____

3 Don Rodrigo - i bravi _____

Capitolo 2

Storia di due anime

Fra* Cristoforo, a cui Lucia aveva chiesto aiuto, usciva dal suo convento di Pescarenico per andare di buon mattino* nella casetta della ragazza. Era più vicino ai sessanta che ai cinquant'anni e il suo nome era Lodovico. Quando era giovane, suo padre, ricco mercante, gli aveva lasciato molto denaro, ma Lodovico cominciava già a provare un certo rifiuto per quella vita così spavalda e, più di una volta, aveva pensato di farsi frate.

Un giorno era per le vie della città con i suoi due bravi e con un certo Cristoforo, maestro di casa, quando vede venire dalla parte opposta, in compagnia di quattro bravi, un nobile prepotente che vuole passare prima di Lodovico, in segno di superiorità. Nasce un litigio in cui il nobile uccide Cristoforo, ma viene subito ucciso con la spada da Lodovico infuriato. Il nostro giovane fugge in una chiesa di frati cappuccini*, dove i bravi non potevano entrare.

Una volta guarito dalle ferite, Lodovico decide di lasciare le sue ricchezze alla vedova e agli otto figli del suo povero maestro di casa

---

fra frate
di buon mattino al mattino presto

cappuccini frati minori francescani

e di farsi frate, scegliendo per quella nuova vita proprio il nome di Cristoforo: e così Lodovico, a trent'anni, diviene fra Cristoforo. Prima di partire però fra Cristoforo vuole chiedere pubblicamente perdono al fratello e ai parenti dell'ucciso e, come segno del perdono, chiede in elemosina un pane. Da quel giorno, terrà sempre un pezzo di quel pane con sé, come ricordo.

❖ ❖ ❖

Arrivato nella casetta di Lucia, e informato dei tristi fatti da Agnese e dalla stessa Lucia, fra Cristoforo decide di affrontare Don Rodrigo per tentare di fargli cambiare idea. Così ritorna in convento e si incammina* verso il palazzotto di Don Rodrigo, che sta sulla cima di un colle, non lontano dal paesello di Renzo e Lucia. Arrivato, uno dei bravi accompagna fra Cristoforo fino all'ingresso della sala da pranzo in cui Don Rodrigo sta mangiando in compagnia di amici e parenti.

Fra Cristoforo entra e si siede al tavolo con gli altri. Dopo molto tempo, Don Rodrigo, che avrebbe voluto evitare di parlare con il frate, si alza da tavola e gli si avvicina, portandolo in un'altra sala. Qui, stando in piedi in mezzo alla sala, gli dice in modo prepotente:

– Eccomi ai suoi comandi.

Ma per dare coraggio al nostro fra Cristoforo, il mezzo più sicuro è di riceverlo proprio in quel modo. Mentre cerca le parole, fa scorrere tra le dita il rosario* che porta intorno alla vita, sperando di trovare in esso l'inizio del suo discorso. Cercando di non lasciarsi vincere dall'emozione, dice con prudente umiltà:

– Vengo a proporle un atto di giustizia e carità. Certi uomini disonesti hanno pronunciato il suo illustrissimo* nome per far paura a un povero prete. Gli impediscono di compiere il suo dovere e se

si incammina va a piedi
rosario oggetto che si usa per pregare

illustrissimo molto nobile e famoso

la prendono* con due innocenti. Lei può, con una parola, fermare queste persone, fare giustizia e dare aiuto a quelli a cui è fatta una così crudele violenza. Lo può e, potendolo... la coscienza, l'onore...

– Voi mi parlerete della mia coscienza quando verrò a confessarmi da voi. Per quanto riguarda il mio onore, dovete sapere che il custode ne sono io, e io solo.

Fra Cristoforo capisce che quel signore cerca di dare alle sue parole un significato di offesa, per trasformare il discorso in un litigio ed evitare di arrivare al dunque*. Decide quindi di mandare giù* tutte le cose che all'altro piace dire e risponde subito con un tono umile:

– Se ho detto qualcosa che vi ha dato un dispiacere, non era certamente mia intenzione. Vi invito a correggermi, se non so parlare nel modo giusto, però ascoltatemi. Per amor del cielo, per quel Dio davanti al quale dobbiamo tutti comparire... vi prego di non continuare a negare una giustizia così facile, e così dovuta, a dei poverelli. Dio ha sempre gli occhi sopra di loro e le loro grida sono ascoltate lassù. L'innocenza è potente al Suo...

– Eh, padre! – lo interrompe bruscamente Don Rodrigo. – Il rispetto che io porto al vostro abito è grande, ma vedere che chi lo indossa viene a farmi la spia in casa, basta per farmelo dimenticare.

Questa parola – spia! – infiamma il viso del frate che però, simile a chi manda giù una medicina molto amara, riprende così:

– Voi non credete davvero a quello che avete appena detto. Sentite in cuor vostro che il discorso che io faccio ora qui, non è né vile* né disonesto. Ascoltatemi, signor Don Rodrigo; spero che un giorno non vi pentirete di non avermi ascoltato. Non mettete la vostra gloria... ma quale gloria, signor Don Rodrigo? Quale gloria davanti agli uomini? E davanti a Dio? Voi potete fare molto quaggiù, ma...

---

prendersela arrabbiarsi e fare i prepotenti
dunque (qui) il vero argomento del discorso

mandare giù accettare qualcosa malvolentieri
vile vigliacco, senza coraggio

– Quando ho il capriccio* di sentire una predica*, so benissimo andare in chiesa, come fanno gli altri! Ma in casa mia?! Oh! – e continua con tono ironico. – Voi mi trattate da persona più importante di quello che sono. Il predicatore in casa! Lo hanno solo i principi!

– Quel Dio che chiede ai principi di rispettare la parola che fa loro ascoltare nelle loro ricche case, quel Dio ha misericordia ora per voi. Vi manda infatti un Suo ministro, indegno e miserabile sì, ma un Suo ministro, a pregare per una innocente…

– Insomma padre, io non so quello che voi volete dire: capisco solo che ci deve essere qualche ragazza che vi sta molto a cuore*. Andate a fare le vostre confidenze a chi volete e non prendetevi la libertà di infastidire ancora un gentiluomo!

Don Rodrigo si sposta in continuazione e il nostro frate si mette davanti a lui, ma con grande rispetto e, alzando le mani come per supplicarlo, riprende a parlare:

– La ragazza mi sta a cuore, è vero, ma non più di voi. Sono due anime che, l'una e l'altra, per me sono importanti più del mio sangue. Don Rodrigo! Io non posso far altro per voi che pregare, ma lo farò di cuore. Non ditemi di no: non tenete nell'angoscia* e nel terrore* una povera innocente. Una vostra parola può far tutto!

– Ebbene, – dice Don Rodrigo, – dato che voi credete che io posso fare molto per questa persona, e dato che questa persona vi sta tanto a cuore, consigliatele di venire a mettersi sotto la mia protezione. Non le mancherà più nulla, e nessuno oserà infastidirla, o io non sono cavaliere!

A questa proposta, l'indignazione del frate esplode. Tutte le sue

---

capriccio desiderio strano, non usuale
predica discorso del sacerdote durante la messa
stare a cuore essere importante per qualcuno

angoscia grande preoccupazione
terrore grandissima paura

intenzioni di prudenza e di pazienza vanno in fumo★: l'uomo vecchio si trova d'accordo con il nuovo e, in questi casi, fra Cristoforo vale veramente per due.

– La vostra protezione?! – esclama allontanandosi di due passi, appoggiandosi fieramente sul piede destro, la mano destra sul fianco, alzando la sinistra con l'indice teso★ verso Don Rodrigo, e guardandolo fisso con due occhi di fuoco.

– La vostra protezione! Avete superato ogni limite e io non ho più paura di voi!

– Come parli, frate?

– Parlo come si parla a chi è abbandonato da Dio e non può più far paura. La vostra protezione! Sapevo bene che quella innocente è sotto la protezione di Dio, ma voi ora me lo fate sentire con tanta certezza, che non ho più bisogno di riguardi★ a parlarvi di questo. Lucia, dico! Vedete come io pronuncio questo nome con la fronte alta e con gli occhi immobili?

– Come?! In questa casa!

– Ho compassione di questa casa: la maledizione le sta sopra! Pensate che la giustizia di Dio avrà riguardo per quattro pietre e paura di quattro sgherri★? Secondo voi Dio ha fatto una creatura a Sua immagine per darvi il piacere di tormentarla? Secondo voi, Dio non saprebbe difenderla? Voi avete disprezzato il Suo consiglio! Vi siete giudicato★. Il cuore del Faraone era duro quanto il vostro e Dio ha saputo spezzarlo. Lucia è al sicuro da voi: ve lo dico io, povero frate! In quanto a voi, sentite bene quello che io vi prometto: verrà un giorno…

Don Rodrigo era rimasto tra la rabbia e la sorpresa, attonito★, non trovando parole; ma a quell'inizio di profezia, alla rabbia, si aggiunge

---

andare in fumo fallire
teso dritto
riguardi attenzioni, azioni prudenti

sgherri bravi, uomini cattivi
giudicato (qui) condannato secondo il giudizio di Dio
attonito senza parole per lo stupore, per la sorpresa

un lontano e misterioso spavento. Afferra* quella mano minacciosa per aria e, alzando la voce per interrompere la profezia, grida:
– Fuori da casa mia, villano temerario*!

Queste parole così chiare calmano in un momento fra Cristoforo. Da tanto tempo nella sua mente l'idea di villania era associata all'idea di sofferenza e di silenzio che, a quel "complimento", gli cadono ogni rabbia e ogni entusiasmo. Ora non gli resta che ascoltare con calma quello che a Don Rodrigo piacerà aggiungere.

Così, tolta tranquillamente la mano dagli artigli* del gentiluomo, abbassa la testa.

Rimane immobile come, al cadere del vento nel bel mezzo della tempesta, un albero ricompone naturalmente i suoi rami e riceve la grandine che il cielo gli manda.

– Villano! – prosegue Don Rodrigo, – Ringrazia l'abito che ti copre le spalle. Esci con le tue gambe per questa volta e poi vedremo.

Fra Cristoforo abbassa il capo e se ne va, lasciando Don Rodrigo a misurare, a passi infuriati, il campo di battaglia.

Uscendo, fra Cristoforo è avvicinato da un servitore di Don Rodrigo, che gli promette di andarlo a trovare in convento per raccontargli dei brutti segreti: anche tra gli sgherri c'è qualche persona buona. Il frate affretta il passo*, per portare una parola di conforto alle due donne.

Intanto, nella casetta di Lucia, si progettano diversi piani per trovare una soluzione. Renzo discute con Agnese il modo per effettuare

---

afferrare prendere una cosa con forza e velocemente
villano temerario maleducato e imprudente

artigli le unghie di un animale
affrettare il passo camminare più velocemente

addirittura un "matrimonio a sorpresa". Intanto si sente un rumore di passi: è fra Cristoforo ed Agnese ha appena il tempo di dire a Lucia di non dirgli niente dei loro piani.

Comprensione

1 **Associa le seguenti frasi unendole con una freccia.**

1 Fra Cristoforo affronta
2 Renzo parla con
3 Agnese dice a
4 Don Rodrigo caccia

... Agnese della possibilità
di organizzare un matrimonio
a sorpresa.
... Don Rodrigo per convincerlo
a lasciare stare Lucia.
... fra Cristoforo dal suo palazzo.
... Lucia di non dire niente
del matrimonio a sorpresa
a fra Cristoforo.

Lessico

2 **Abbina a ogni espressione il suo significato.**

1 ☐ prendersela
2 ☐ arrivare al dunque
3 ☐ mandare giù qualcosa
4 ☐ prendersi la libertà
5 ☐ andare in fumo
6 ☐ prendere in giro
7 ☐ stare a cuore

a accettare qualcosa malvolentieri
b arrivare al vero argomento del
   discorso
c arrabbiarsi
d deridere qualcuno
e dire o fare qualcosa senza
   permesso
f essere importante per qualcuno
g fallire

3 **Completa le frasi seguenti con un'espressione dell'esercizio 2. Coniuga il verbo quando necessario.**

1 Non _____! Mi fai arrabbiare!
2 A causa del brutto tempo, i nostri piani _____.
3 A Marco non si può dire niente: _____ facilmente.
4 Sandro quando parla _____ subito _____.
5 Lea non _____ il rimprovero avuto ieri al lavoro.
6 Luigi _____ di dirmi cosa devo fare!
7 A Gianni _____ Lucia perché ne è innamorato.

Grammatica

4 In questo capitolo ci sono delle parole "alterate", cioè che hanno un suffisso che dà un senso di minore o maggiore dimensione o importanza. Completa la tabella formando la parola alterata, come nell'esempio. (-) ino/ina - etto/etta; (+) otto/otta - one/ona.

Parola base	Parola alterata	
	-	+
casa	casetta	casona
signore	signorino	signorotto
gruppo		
stanza		
ragazzo		
viaggio		
libro		
naso		

Scriviamo

5 Nel dialogo tra fra Cristoforo e Don Rodrigo troviamo una frase riferita a fra Cristoforo: "L'uomo vecchio si trovava d'accordo con il nuovo". Che cosa significa? Prova a spiegare.

_____

_____

_____

_____

_____

Parliamo

6 Don Rodrigo dice a fra Cristoforo: "Insomma padre, capisco che ci deve essere qualche ragazza che vi sta molto a cuore". Secondo te cosa significa questa frase? Che cosa vuole dire Don Rodrigo? Parlane con un compagno.

Capitolo 3

L'addio

▶ 3 – La pace sia con voi, – dice fra Cristoforo entrando nella casetta di Lucia. – Non c'è nulla da sperare dall'uomo, bisogna confidare in Dio, e già ho qualche segno della sua protezione. Domani io non verrò. Tu, Renzo, cerca di venire, o manda qualcuno fidato. Gli dirò quello che bisogna fare.

❖ ❖ ❖

Intanto si fa buio e il frate torna al convento di Pescarenico mentre Lucia, spinta da Renzo e Agnese, accetta di andare la sera seguente da Don Abbondio per tentare il matrimonio a sorpresa.

L'idea era venuta ad Agnese, che diceva di aver sentito dire da gente "che sa", che per fare un matrimonio ci vuole il prete, certo, ma questo non deve essere per forza d'accordo, deve solo essere presente. Oltre al prete ci vogliono due testimoni davanti a cui l'uomo dirà:
– Signor curato*, questa è mia moglie. – E la donna:
– Signor curato, questo è mio marito. – E il matrimonio è bell'e fatto e sacrosanto*.

curato prete
bell'e ... sacrosanto fatto secondo le regole, valido

Così, scesa la sera, zitti zitti, nelle tenebre*, escono tutti dalla casetta di Lucia per andare a casa di don Abbondio. Agnese riesce facilmente a distrarre Perpetua, parlandole di alcune chiacchiere che aveva sentito riguardo ai motivi per cui non aveva trovato marito. Tonio, amico di Renzo, con la scusa di pagare un debito al curato, entra in casa con il fratello Gervaso. Mentre Tonio paga il debito a don Abbondio, Renzo e Lucia entrano pian piano, in punta di piedi, trattenendo il respiro e nascondendosi dietro i due fratelli.

Intanto don Abbondio, finito di scrivere, si leva con una mano gli occhiali dal naso, alza il viso e vede Tonio e Gervaso che si spostano e, in mezzo, come quando si apre il sipario*, compaiono davanti ai suoi occhi increduli*, Renzo e Lucia.

Don Abbondio prima vede confusamente, poi vede chiaro, si spaventa, si stupisce, s'infuria, pensa, prende una decisione: tutto questo nel tempo che Renzo impiega a dire le parole:

– Signor curato, in presenza di questi testimoni, questa è mia moglie.

Le labbra di Renzo non erano ancora tornate al loro posto, che don Abbondio, aveva già afferrato la lampada e il tappeto del tavolino. Poi, saltando tra la sedia e il tavolino, si era avvicinato a Lucia. La poveretta, con quella sua voce dolce, e in quel momento tutta tremante, aveva appena potuto dire:

– E questo... – che don Abbondio le butta il tappeto sulla testa, per impedirle di dire la frase per intero.

Subito lascia cadere la lampada che teneva nell'altra mano, facendo buio nella stanza, e si aiuta anche con quella a coprire Lucia con il tappeto, che quasi la soffoca. E intanto grida con tutto il fiato che ha:

– Perpetua! Perpetua! Tradimento! Aiuto! –

Poi si chiude dentro un'altra stanza e continua a gridare:

---

tenebre buio della notte
sipario grande tela che, a teatro, si apre quando inizia lo spettacolo

increduli che si rifiutano di credere

– Perpetua! Tradimento! Aiuto! Fuori da questa casa! Fuori da questa casa!

Nell'altra stanza tutto è confusione: Renzo grida al curato di aprire la porta, Lucia chiama Renzo e prega, Tonio, carponi*, spazza con le mani il pavimento per ritrovare la sua ricevuta. Gervaso, impazzito, grida e salta cercando la porta per scappare.

Ambrogio, il sagrestano*, svegliato da tutta quella confusione, corre al campanile, afferra la corda e suona la campana con tutta la sua forza: ton, ton, ton, ton!

Il suono della campana arriva alle orecchie dei bravi, che erano andati nella casetta di Agnese per rapire* Lucia, ma la casetta era deserta. I bravi sentono dei passi frettolosi: è Menico, un ragazzetto del paese che, su consiglio di fra Cristoforo, viene a dire alle donne di scappare. Il ton-ton della campana crea un attimo di incertezza tra i bravi, che si sentono scoperti e fuggono.

❖ ❖ ❖

Renzo e Lucia, fallito il matrimonio a sorpresa, ritrovano Agnese per strada, quando arriva Menico che grida loro:

– Per di qua, al convento! C'è il diavolo in casa!

Renzo, Lucia e Agnese seguono Menico che gli dice che fra Cristoforo li aspetta in chiesa. La porta si apre e la luna illumina la faccia pallida e la barba d'argento di fra Cristoforo.

– Dio sia benedetto! – esclama. – Figliuoli! Ringraziate il Signore, che vi ha salvati da un grande pericolo! Vedete bene che ora questo paese non è più sicuro per voi. È il vostro, ci siete nati, non avete fatto male a nessuno, ma Dio vuole così. È una prova, figliuoli: sopportatela con pazienza, con fiducia, senza odio, e state sicuri che verrà un tempo in cui sarete contenti di ciò che ora accade. Ho trovato per

---

carponi con mani e ginocchia a terra   **rapire** portare via una persona con la forza
sagrestano laico che pulisce la chiesa

voi un rifugio*, per questi primi momenti. Presto, io spero, potrete ritornare sicuri a casa vostra; ad ogni modo, Dio provvederà per il vostro meglio.

– Voi – continua parlando alle due donne – potete fermarvi a ***. Là sarete abbastanza al sicuro da ogni pericolo e, nello stesso tempo, non troppo lontane da casa vostra. Cercate il convento dei cappuccini, fate chiamare il padre guardiano e dategli questa lettera: sarà per voi un altro fra Cristoforo. Anche tu, caro Renzo, devi metterti, per ora, in salvo* dalla rabbia degli altri... e dalla tua. Porta questa lettera a padre Bonaventura da Lodi, nel nostro convento di Porta Orientale a Milano. Ti farà da padre, ti guiderà e ti troverà un lavoro, fino a quando non potrai tornare a vivere qui. Andate alla riva del lago: lì vedrete una barca ferma che vi trasporterà sull'altra riva. Prima di partire, preghiamo tutti insieme il Signore: che stia con voi, in questo viaggio e sempre. E soprattutto preghiamo il Signore di darvi la forza e l'amore di volere quello che Lui vuole.

Dopo aver pregato ed essere rimasti in silenzio, il padre, con voce bassa ma decisa, aggiunge:

– Signore nostro, noi Vi preghiamo anche per quel poveretto che ci ha messi in questa situazione. Chiediamo misericordia per lui: ne ha tanto bisogno! Noi, nella nostra sofferenza abbiamo questo conforto, che siamo nella strada dove ci avete messo Voi. Ma lui... è Vostro nemico! Oh, disgraziato! Compete* con Voi! Abbiate pietà di lui, o Signore, toccate il suo cuore, dategli tutti i beni che noi possiamo desiderare per noi stessi.

Poi, conclude:

– Via, figliuoli, non c'è tempo da perdere. Dio vi guardi, il Suo angelo vi accompagni: andate.

---

rifugio posto sicuro in cui nascondersi
mettersi in salvo salvarsi

competere gareggiare, pensare di essere più forte

E mentre si avviano con quella commozione che non trova parole e che si manifesta senza di esse, il padre aggiunge:

– Il cuore mi dice che ci rivedremo presto.

Renzo, Lucia e Agnese si avviano zitti zitti alla riva del lago, salgono sulla barca e il barcaiolo prende pian piano il largo verso la spiaggia opposta.

Non tira un alito* di vento: il lago riposa liscio e piano e sembra immobile. Solo il tremare e l'ondeggiare leggero della luna, che vi si specchia dal cielo, ne fa vedere le forme reali. I passeggeri silenziosi, con la testa voltata indietro, guardano i monti e il paese illuminato dalla luna, interrotto qua e là da grandi ombre.

Si vedono i villaggi, le case, le capanne*. Il palazzotto di Don Rodrigo, con la sua torre piatta, alto sopra le casette ammucchiate, sembra un uomo feroce che, in piedi nelle tenebre in mezzo ad altri uomini addormentati, resta sveglio pensando a un delitto*.

Lucia lo vede e trema: scende con l'occhio giù giù, fino al suo paesello, guarda fisso e vede la sua casetta e la finestra della sua camera e, seduta sul fondo della barca, posa la fronte sul braccio, come per dormire, e piange segretamente…

Addio, monti sorgenti* dalle acque ed elevati al cielo; cime note a chi è cresciuto tra voi, e impresse nella sua mente; torrenti*, dei quali conosco il rumore dell'acqua, come il suono delle voci domestiche;

---

alito soffio
capanne abitazioni molto umili
delitto fatto di sangue, assassinio, omicidio

sorgenti che nascono
torrenti fiumi con molta pendenza dove l'acqua scorre veloce

ville sparse e biancheggianti sul pendìo*, come gruppi di pecore, addio! Quanto è triste il passo di chi, cresciuto tra voi, se ne allontana! Chi non ha mai spinto al di là di quei monti neppure un piccolo desiderio, chi custodisce in essi tutti i progetti per il futuro e ora ne è allontanato da una forza crudele! Chi, staccato dalle più care abitudini e disturbato nelle più care speranze, lascia questi monti per andare verso luoghi sconosciuti che non ha mai desiderato conoscere!

Addio, casa natìa* dove, sedendo con un pensiero nascosto, ho imparato a distinguere dal rumore dei passi comuni il rumore d'un passo aspettato* con un misterioso timore*. Addio, casa che ancora non conosco, appena toccata dal mio sguardo passando, e non senza imbarazzo, nella quale la mente immaginava una vita tranquilla e infinita di sposa.

Addio, chiesa, dove l'animo è tornato tante volte sereno, cantando le lodi del Signore, dov'era promesso e preparato il nostro matrimonio, dove il desiderio segreto del cuore doveva essere benedetto e l'amore chiamarsi santo. Addio!

Questi sono i pensieri di Lucia e poco diversi sono i pensieri degli altri due pellegrini, mentre la barca li sta portando verso la riva destra dell'Adda.

---

pendìo terreno inclinato
natìa (qui) dove Lucia è nata

passo aspettato (qui) il passo di Renzo
timore paura

ATTIVITÀ

Comprensione

1 Leggi le seguenti frasi e rimettile in ordine cronologico.

☐ Renzo, Lucia e Agnese salgono sulla barca.

☐ Il sagrestano suona la campana e i bravi fuggono.

☐ Don Abbondio manda in fumo il matrimonio a sorpresa.

☐ Lucia dà l'addio ai suoi monti e alla sua casa.

☐ Renzo, Lucia e Agnese raggiungono fra Cristoforo in chiesa.

☐ Renzo, Lucia, Agnese e i testimoni vanno da don Abbondio.

☐ Fra Cristoforo va a casa di Agnese e Lucia.

2 È il momento del 'matrimonio a sorpresa'. Chi fa queste cose? Completa le frasi con il soggetto giusto.

Don Abbondio • Tonio • Agnese • Renzo e Lucia • Gervaso

1 _____ distrae Perpetua, con alcune chiacchiere.

2 _____ dice di voler pagare un debito a Don Abbondio.

3 _____ accompagna il fratello a casa di don Abbondio.

4 _____ si nascondono dietro a Tonio e Gervaso.

5 _____ fa cadere la lampada e copre la testa di Lucia con un tappeto per non farla parlare.

3 Completa l'azione di ogni personaggio con il verbo giusto.

suona • afferra • chiama • corre • grida (x2) • salta spazza • prega

Nell'altra stanza tutto è confusione: Renzo (1) _____ al curato di aprire la porta; Lucia (2) _____ Renzo e (3) _____; Tonio, carponi, (4) _____ con le mani il pavimento per ritrovare la sua ricevuta. Gervaso, impazzito, (5) _____ e (6) _____ cercando la porta per scappare. Ambrogio, il sagrestano, (7) _____ al campanile, (8) _____ la corda e (9) _____ la campana: ton, ton, ton, ton.

Lessico

4 Alla fine del Capitolo 3 c'è una delle più belle descrizioni dei *Promessi Sposi*, "L'Addio ai monti" di Lucia. Rileggilo e trova il maggior numero di aggettivi che descrivono lo stato d'animo di Lucia.

_____

_____

_____

_____

Scriviamo

5 L'addio di Lucia al suo paesello contiene molte parole della natura. Leggi le definizioni e completa lo schema.

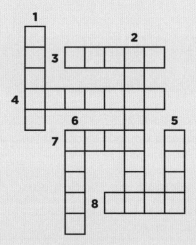

1 Non tira un alito di...
2 Fiumi dove l'acqua scorre veloce.
3 Per il vento, è sinonimo di "soffio".
4 Sinonimo di "buio".
5 Splende di notte.
6 Di notte, ha tante stelle.
7 Le parti più alte dei monti.
8 Sta... intorno ad un lago.

Scriviamo

6 Hai mai dovuto dire addio a una persona cara o a un luogo caro? Prova a ricordare quel momento descrivendo la situazione e i sentimenti che hai provato. Scrivi dalle 150 alle 170 parole.

_____

_____

_____

_____

_____

_____

_____

Grammatica

7 Completa le frasi con la preposizione giusta. Attenzione all'uso dell'articolo, se necessario.
1 ☐ Fra Cristoforo va _____ casa di Agnese.
2 ☐ Fra Cristoforo va _____ convento.
3 ☐ Renzo, Lucia e Agnese vanno _____ don Abbondio.
4 ☐ I bravi vanno _____ casetta di Agnese per rapire Lucia.
5 ☐ Renzo, Lucia e Agnese vanno _____ chiesa da fra Cristoforo.
6 ☐ Fra Cristoforo va _____ campagna.

Parliamo

8 Renzo e Lucia, su idea di Agnese, organizzano il 'matrimonio a sorpresa', per riuscire a sposarsi. Ti è mai successo di fare qualcosa di strano e fuori dal comune per realizzare un tuo sogno o un tuo progetto? Parlane con un tuo compagno.

Capitolo 4

La monaca di Monza

I tre arrivano a Monza con la prima luce del giorno: Renzo si incammina verso Milano, seguendo i consigli di fra Cristoforo, mentre Agnese e Lucia raggiungono il convento dei cappuccini. Qui vengono accolte dal padre guardiano che, dopo aver conosciuto i fatti attraverso la lettera del buon fra Cristoforo, esprime pietà e interesse per quella triste storia ed esclama:

– Se la signora vorrà aiutarci, sarete al sicuro.

Così si incamminano per andare dalla signora. Lungo il cammino, Agnese e Lucia chiedono timidamente al carrettiere* che le accompagnava, chi era quella signora.

– La signora, – risponde il carrettiere, – è una monaca, ma non è una monaca come le altre: è della costola d'Adamo*. I suoi erano gente importante, venuta dalla Spagna, e per questo la chiamano "la signora", per dire che è una gran signora. Tutto il paese la chiama con quel nome, perché dicono che in quel monastero non hanno avuto

carrettiere chi conduce un carretto
della costola d'Adamo di antica nobiltà

mai una persona simile. Lei può fare ciò che vuole nel monastero e anche la gente di fuori le porta un gran rispetto. Quando prende un impegno, riesce sempre a mantenerlo perciò, se quel buon frate riesce a mettervi nelle sue mani, vi posso dire che siete al sicuro come sull'altare.

Una volta arrivati, il frate guardiano entra da solo nel monastero per parlare con la signora e poi, contento, torna a prendere Agnese e Lucia per farle entrare.

– Vuole aiutarvi, – dice, – e vi può fare del bene. Cercate di essere umili e rispettose, rispondete con sincerità alle domande che vi farà e, quando non siete interrogate, lasciate fare a me.

Lucia, che non aveva mai visto un monastero, rimane come incantata. All'improvviso vede una finestra con due grosse grate* di ferro e, dietro quelle, una monaca in piedi.

Il suo aspetto, che potrebbe dimostrare venticinque anni, dà un'impressione di bellezza, ma d'una bellezza ormai stanca, sfiorita, quasi scomposta.

Un velo nero, tirato orizzontalmente sulla testa, cade dalle due parti, lontano dal viso. Due occhi neri neri fissano il viso delle persone, con una curiosità superba*. Qualche altra volta questi occhi si abbassano in fretta, come per cercare un nascondiglio*, in altri momenti sembrano chiedere affetto, amicizia, pietà, altre volte comunicano un odio profondo e improvviso, qualcosa di minaccioso e di feroce. Quando restano immobili e fissi senza attenzione, lasciano immaginare un dolore nascosto, una preoccupazione antica e segreta.

Le labbra, sebbene appena colorate di un rosa chiaro, spiccano* sul viso pallido: sono vive come gli occhi, piene d'espressione e di

---

grate chiusure di metallo o legno   **nascondiglio** posto dove nascondersi
superba (qui) che pensa di essere superiore agli altri   **spiccano** risaltano

mistero. I suoi movimenti sono a volte troppo decisi e improvvisi per una donna, ancor più per una monaca.

Nei suoi stessi vestiti, c'è qua e là, qualcosa di troppo curato o, al contrario, di trascurato, che mostra una monaca diversa dalle altre: la vita è stretta con una certa cura e, dal velo, esce sulla fronte una piccola ciocca* di capelli neri, cosa che mostra disprezzo per la regola dei capelli corti per le monache o, semplicemente, la dimentica.

Queste cose non colpiscono le due donne, non abituate a distinguere monaca da monaca. Il frate guardiano, che aveva già visto la signora, era abituato a quel non so che* di strano nella sua persona e nelle sue maniere.

In quel momento la signora guarda fisso Lucia, che viene avanti esitando.

– Reverenda* madre e signora illustrissima, – dice il frate guardiano con la testa bassa e la mano sul petto, – questa è quella povera giovane, per la quale la sua valida protezione mi ha fatto sperare. E questa è la madre.

Le due donne fanno gli inchini e la signora dice al frate:

– È una fortuna per me poter fare un piacere ai nostri buoni amici cappuccini. Ma vorrei conoscere meglio il caso di questa giovane, per capire meglio cosa si può fare per lei.

Lucia, a quelle parole, era diventata rossa rossa e aveva abbassato la testa.

– Deve sapere, reverenda madre… – incomincia Agnese, ma il frate guardiano la interrompe con uno sguardo deciso e risponde:

– Questa giovane, signora illustrissima, mi viene raccomandata da un mio confratello. È dovuta partire di nascosto dal suo paese per

---

ciocca qualche capello
quel non so che qualcosa

reverenda aggettivo di rispetto per una monaca importante

evitare dei grandi pericoli e ha bisogno, per qualche tempo, di un posto in cui nascondersi e stare al sicuro.

– Quali pericoli? – interrompe la signora. – Vorrei conoscere i fatti in modo più chiaro. Lei sa che a noi monache piace sapere le cose nei dettagli.

– Sono pericoli che alle orecchie purissime della reverenda madre devono essere appena accennati...

– Oh, certamente! – dice in fretta la signora, arrossendo molto, ma era un rossore di dispetto*.

– Basterà dire, – riprende il frate guardiano, – che un cavaliere prepotente... non tutti i grandi del mondo usano i doni di Dio a Sua gloria e in aiuto degli altri, come invece fate voi, signora illustrissima... un cavaliere prepotente, dopo aver perseguitato* questa ragazza con complimenti e promesse ignobili, vedendo che erano inutili, ha avuto il coraggio di perseguitarla apertamente con la forza, così la poveretta è stata costretta a fuggire da casa sua.

– Avvicinatevi, – dice la signora a Lucia. – So che il padre guardiano è la bocca della verità, ma nessuno può essere meglio informato di voi su questo caso. Dovete dirci se questo cavaliere era davvero un persecutore odioso.

Una domanda su quell'argomento, fatta da quella signora e con una certa aria di dubbio maligno, toglie a Lucia il coraggio di rispondere.

– Signora... madre... reverenda... – balbetta, facendo sembrare di non avere nient'altro da dire. E qui Agnese si crede autorizzata ad aiutare la figlia dicendo:

– Illustrissima signora, io posso testimoniare che questa mia figlia aveva in odio quel cavaliere, come il diavolo l'acqua santa: voglio dire,

---

dispetto fastidio, irritazione
perseguitare tormentare, dare fastidio

il diavolo era lui. Mi perdonerà se parlo male, perché noi siamo gente alla buona⋆. Il fatto è che questa povera ragazza era promessa a un giovane come noi, timorato di Dio.

– Siete ben pronta a parlare senza essere interrogata! – interrompe la signora, con un gesto così freddo e infuriato che la fa quasi sembrare brutta. – State zitta voi: già lo so che i genitori hanno sempre una risposta da dare al posto dei loro figli!

A questo punto Lucia si fa coraggio e dice:

– Reverenda signora, quello che ha detto mia madre è la pura verità. Il giovane di cui mia madre le parlava – e qui diventa rossa rossa – lo sposavo di mia volontà. E in quanto a quel cavaliere, vorrei morire piuttosto che cadere nelle sue mani! Se lei ci fa la carità di metterci al sicuro, dato che siamo ridotte a far la brutta figura di chiedere rifugio e disturbare le persone per bene... sia fatta la volontà di Dio... deve stare sicura che nessuno potrà pregare per lei più di cuore di noi povere donne.

– A voi credo, – dice la signora con voce raddolcita.

La signora, che alla presenza di un cappuccino intelligente ed esperto si era limitata a studiare i movimenti e le parole, rimasta sola con quella giovane contadina inesperta, non pensa più tanto a limitarsi. I suoi discorsi diventano a poco a poco strani, ma quel suo lato così insolito e misterioso è comprensibile, conoscendo la storia di questa infelice.

La signora era l'ultima figlia di un principe milanese molto ricco e conosciuto che, secondo l'usanza del tempo, aveva destinato tutte le sue ricchezze al primogenito⋆ e destinato al monastero gli altri figli.

I primi giocattoli di Gertrude, questo era il suo nome, erano

alla buona molto semplice, che non ha studiato
primogenito primo figlio maschio

bambole vestite da monaca. A sei anni era stata mandata al monastero di Monza, sul quale il principe aveva grande autorità, e le monache erano felici di averla con loro. Cresciuta e diventata una ragazza, Gertrude pensava di potersi finalmente ribellare alla volontà del padre, rifiutando di prendere i voti*. Confidava nella legge, che richiedeva il totale consenso della giovane.

Così Gertrude decide di dire a suo padre di non voler prendere i voti, ma viene trattata con durezza e chiusa in una stanza sotto la sorveglianza di un'arcigna* guardiana. Provata dalle grandi sofferenze a cui il padre l'aveva sottoposta, Gertrude decide infine di scrivergli una lettera in cui accetta di prendere i voti.
Il padre aveva comunicato subito alla badessa* di Monza la decisione della figlia, sottolineando l'assoluta libertà di questa scelta. Così Gertrude, mentendo a se stessa e agli altri, aveva abbracciato la vita religiosa.

Per distinguerla, comunque, dalle altre monache, poiché la famiglia era di antichissima nobiltà, il padre aveva deciso di farla vivere in appartamento a parte. Quel lato del monastero, però, era vicino alla casa di un certo Egidio, un giovane scellerato* e senza vergogna. Un giorno Egidio, da una finestra che guardava sul cortile di Gertrude, aveva osato rivolgerle la parola. La sventurata* aveva risposto.

Dopo qualche tempo, Gertrude aveva avuto un litigio con una sua conversa* e l'aveva trattata con durezza. La conversa, persa la pazienza, le aveva detto di sapere un segreto, un segreto su di lei: ne avrebbe parlato al momento e nel luogo più opportuni!

prendere i voti diventare una monaca
arcigna dura, cattiva
badessa suora a capo di un convento

scellerato sempre pronto a fare cose cattive
sventurata molto sfortunata
conversa suora laica che si occupa dei lavori manuali

Dopo il litigio, nessuno aveva avuto più notizie della conversa, che era stata cercata in lungo e in largo senza risultato. In realtà era lì a due passi: sarebbe bastato scavare* lì vicino per ritrovarla.

Era passato un anno da questo fatto, quando Lucia veniva presentata alla signora.

scavare fare un buco nella terra

ATTIVITÀ

Comprensione

1 Rispondi alle seguenti domande.

a Arrivati a Monza Renzo, Lucia e Agnese si separano. Dove si dirige Renzo?

b Dove si rifugiano Agnese e Lucia?

c Perché Gertrude decide di farsi monaca?

d Che tipo di relazione c'è fra Egidio e la monaca di Monza?

2 Perché, secondo te, la monaca di Monza pronuncia la frase "Lo so che i genitori hanno sempre una risposta da dare al posto dei loro figli"?

Lessico

3 Abbina a ogni espressione il suo significato.

1 ☐ essere gente alla buona
2 ☐ essere della costola d'Adamo
3 ☐ essere un uomo per bene
4 ☐ mettersi nelle mani di qualcuno
5 ☐ in lungo e in largo
6 ☐ abbracciare qualcosa

a ovunque, dappertutto
b scegliere
c appartenere all'antica nobiltà
d essere gente semplice
e fidarsi completamente
f essere un uomo onesto

4 Trova e scrivi nella tabella il maggior numero di aggettivi che
servono a descrivere fisicamente e caratterialmente la monaca
di Monza. Poi scrivi il loro contrario.

AGGETTIVI	CONTRARI

Scrivere

5 La frase "La sventurata aveva risposto" lascia immaginare
in modo efficace il destino di Gertrude. Prova a scrivere
brevemente il seguito della vicenda.

_____

_____

_____

_____

Parlare

6 Che cosa pensi della monaca di Monza? Che cosa avresti fatto
al suo posto? Che sentimenti suscita in te? Parlane con un
compagno.

Capitolo 5

Milano e la carestia

▶ 4 Intanto Don Rodrigo è venuto a conoscenza del fallito rapimento di Lucia ed è furioso contro tutti e, soprattutto, contro fra Cristoforo. Don Rodrigo è deciso a sapere con ogni mezzo dove si sono rifugiate le due donne e incarica il Griso, il suo bravo di fiducia, di scoprirlo.

Purtroppo molti sanno come sono andate le cose e non tutti sono capaci di mantenere un segreto: l'unico che non parla è don Abbondio oltre, naturalmente, a fra Cristoforo. Anche Perpetua cerca di non parlare di quella notte, ma il segreto, che il padrone le ha detto di mantenere, sta in lei come un vino nuovo in una botte vecchia*.

Una delle consolazioni di questa vita è l'amicizia e gran consolazione è avere un amico fidato a cui confidare un segreto. Ma gli amici non sono a due a due, come gli sposi, perché tutti vogliono godere della consolazione di confidare ad un amico fidato un segreto: il giro che fa il segreto diventa talmente veloce da non poterne più seguire la traccia. Così, dopo qualche giorno, Don Rodrigo sapeva esattamente dove

---

stare come vino... vecchia stare in un luogo non adatto

erano Lucia e Agnese e sapeva anche che Renzo era diretto a Milano.

Decide allora di escogitare* un piano per rapire Lucia e impedire a Renzo di tornare al paese con la ragazza. Purtroppo, proprio in quel momento, Renzo comincia a mettersi nei guai* da solo.

Renzo si era ormai incamminato da Monza, dove aveva lasciato Lucia ed Agnese, verso Milano. Era immerso in pensieri che, nello stato in cui era, ognuno può facilmente immaginare. Arrivato a Porta Orientale, a Milano, va al convento dei cappuccini. La strada è deserta e il giovane vede per terra delle macchie bianche simili alla neve: le tocca e capisce che si tratta di farina. Più avanti vede, con stupore, qualcosa di ancora più strano: certe cose che non sono sassi e che sembrano pane: ne raccoglie uno, tondo, bianchissimo, fresco e, pensando di essere arrivato nel paese della cuccagna*, ne raccoglie altri due e se li mette in tasca. Nel frattempo vede arrivare un uomo con un grande sacco di farina sulle spalle, una donna che tiene dentro la sottana una gran quantità di farina e un ragazzetto con un cesto pieno di pane sulla testa. Di fronte a quella scena Renzo capisce immediatamente che si trova in una città in rivolta*.

A Milano e nel resto della Lombardia, c'era una grande carestia e il gran cancelliere Antonio Ferrer, per calmare la popolazione, aveva deciso di abbassare il prezzo del pane. I fornai però non potevano continuare a vendere a trenta ciò che loro pagavano ottanta, e il vicario* aveva preso la decisione di aumentare di nuovo il prezzo del pane. Il popolo non sapeva più come sfamarsi e aveva cominciato a saccheggiare* i forni e a gridare contro il vicario, convinto che era lui, d'accordo con i fornai, a nascondere la farina.

---

escogitare pensare con intelligenza e furbizia
guai problemi
cuccagna abbondanza, ricchezza

rivolta ribellione
vicario chi sostituisce un'autorità
saccheggiare rubare e distruggere

Nella strada chiamata la Corsia dei Servi c'era un forno famoso e la folla aveva deciso di saccheggiarlo. Quelli del forno, spaventati, avevano chiuso la porta e avevano mandato un garzone* a chiamare il capitano di giustizia, ma la folla aveva già buttato giù la porta ed era entrata nel forno. Padroni e garzoni del forno, allora, avevano cominciato a tirare pietre dalle finestre per difendersi e per allontanare la gente, ma ormai era troppo tardi. La gente saccheggiava il forno e, in un baleno*, il pane era rubato, i soldi scomparsi, i sacchi di farina portati via, ogni cosa rovinata.

Renzo arriva proprio nel bel mezzo del saccheggio, mangiando tranquillamente il suo pane: guarda con orrore quelle scene, ma prosegue il suo cammino. Più avanti vede un fuoco alimentato con oggetti provenienti dai forni e pensa, fra sé e sé, che quello non è certamente il modo migliore per far tornare il pane nei negozi.

Improvvisamente si sente qualcuno gridare di attaccare la casa del vicario, responsabile del prezzo del pane e della rivolta. Così tutta la folla si muove verso la casa del povero sventurato, chiuso dentro per la paura di essere catturato. Fortunatamente, proprio nel bel mezzo dell'attacco, arriva il gran cancelliere* Antonio Ferrer, che era amato dal popolo perché aveva abbassato il prezzo del pane. La carrozza del gran cancelliere si ferma davanti alla casa del vicario, che viene portato fuori a forza dai suoi servi, fatto entrare nella carrozza e messo così in salvo. Ferrer, intanto, promette al popolo giustizia, pane e abbondanza. Infine la carrozza se ne va verso il castello.

Il sole è già tramontato quando la gente comincia ad andarsene. Ma anche Renzo vuole dire la sua* e comincia a parlare contro i signorotti

---

garzone ragazzo che lavora
in un baleno in un tempo brevissimo

gran cancelliere importante figura dello Stato
dire la sua esprimere la sua opinione

che ignorano le grida dei poveri e fanno i prepotenti. Parla in modo talmente appassionato che molte persone si fermano ad ascoltarlo e a dargli ragione. C'è chi gli prende una mano e chi gli prende l'altra, entusiasti di quei discorsi coraggiosi e rivoluzionari.

– Arrivederci a domani, – dicono alcuni.

– Dove? – risponde Renzo.

– A Piazza Duomo.

– Va bene.

– Va bene.

– E qualcosa si farà.

Poco dopo, uno che aveva ascoltato attentamente tutti quei discorsi, indica a Renzo un'osteria* dove bere e mangiare un boccone* e così, dopo molte strette di mano, il giovane si incammina con lo sconosciuto verso l'osteria. Qui l'oste sta seduto su una piccola panca, mentre un garzone gira avanti e indietro tra i tavoli e molta gente siede sulle altre panche fra tovaglie, fiaschi, dadi buttati e raccolti, bicchieri e piatti.

L'oste va incontro a Renzo, insultando fra sé quel birro* che è entrato insieme al giovane. Renzo beve rapidamente diversi bicchieri di vino, mangia e beve ancora, troppo.

– Preparate un buon letto a questo bravo giovane, – dice il birro all'oste, – perché ha intenzione di dormire qui.

Il primo fiasco di vino è finito, ma Renzo ne ordina un altro esclamando:

– Portane ancora!

Renzo parla e parla, come accade a molti uomini che hanno bevuto troppo vino e, non volendo, dice al suo amico sconosciuto il suo nome

---

osteria locale dove si mangia e si beve con pochi soldi
mangiare un boccone mangiare qualcosa

birro in passato, guardia in servizio di polizia

e cognome: Lorenzo Tramaglino. Ormai, con il vino in testa, Renzo non riesce più a controllarsi, fino al punto di diventare lo zimbello* dell'osteria, con i suoi discorsi sempre più confusi. Grazie a Dio, nonostante la sua totale mancanza di controllo, istintivamente non pronuncia mai i nomi di altre persone, compreso il nome di Lucia, che in tal modo non vengono conosciuti da quelle boccacce.

Finalmente l'oste riesce a portare Renzo nella sua stanza e lì lo lascia, disteso sul letto. Poi va al Palazzo di Giustizia, dove racconta a un notaio criminale* di avere nella sua osteria un giovane del quale non era riuscito a scoprire il nome. Ma già quelli del Palazzo di Giustizia sapevano ogni cosa, grazie al rapporto del birro, che aveva raccontato cento bugie su Renzo. Il notaio ordina all'oste di non lasciar partire Renzo.

Renzo dorme da circa sette ore quando una voce che grida "Lorenzo Tramaglino!" lo sveglia. Apre gli occhi a fatica e vede un uomo vestito di nero, il notaio, e due altri uomini armati.

– Lorenzo Tramaglino! – esclama Renzo. – Chi vi ha detto il mio nome? Cosa vuol dire questo? Cosa volete da me?

– Meno chiacchiere e fate presto, – dice uno dei birri che gli sta a fianco, prendendogli il braccio.

Renzo, mentre si veste, cerca di ricordare gli avvenimenti del giorno prima e capisce che le grida e i discorsi da lui fatti per strada, così come il suo nome e cognome, devono essere la causa di questo brutto risveglio. Mentre lo portano via, guarda il viso del notaio e vede un segno di incertezza... dalla strada infatti arriva un ronzìo* crescente e il notaio ha paura di trovarsi in mezzo a un'altra rivolta.

Anche Renzo sente quel ronzìo minaccioso e, prima di uscire,

---

zimbello persona di cui tutti ridono   **ronzìo** (qui) rumore confuso e lontano
notaio criminale un tipo di ufficiale di giustizia

pretende di avere i soldi e la lettera che aveva lasciato nelle tasche, mormorando tra i denti:

– Alla larga! Passate tanto tempo con i ladri che avete imparato un po' anche voi il mestiere.

Il giovane, appena in strada, comincia a gridare:

– Amici! Mi portano in prigione perché ieri ho gridato "pane e giustizia"! Non ho fatto niente! Sono una persona onesta! Aiutatemi, non mi abbandonate, amici!

Prima un mormorìo* favorevole, poi voci più chiare si alzano in risposta e in aiuto: i birri all'inizio comandano, poi chiedono, poi pregano la folla di andarsene e di lasciarli passare. La folla invece spinge sempre di più, così il notaio e i due birri, vista la brutta situazione, decidono di mettersi in salvo e lasciano andare Renzo.

– Scappa, scappa, brav'uomo! Lì c'è un convento! Là c'è una chiesa! Qui, là! – grida la folla a Renzo da ogni parte.

Ma Renzo quando si parla di scappare, non ha bisogno di consigli: aveva già pensato di andare in un paese vicino Bergamo dove abita suo cugino Bortolo, che spesso l'aveva invitato ad andare là.

– Perché, – pensa, – hanno il mio nome sui loro libracci, e con il nome e il cognome mi vengono a prendere quando vogliono, ecco perché devo cambiare aria.

Così saluta e ringrazia i suoi liberatori e si mette in cammino.

Passa per villaggi e per campi, sperando di andare nella direzione giusta verso Bergamo: questo solo gli interessa. Ogni tanto si volta indietro. I suoi pensieri sono, come si può immaginare, una grande confusione di pentimenti, di angoscia, di rabbia, di tenerezza. È faticoso ricordare esattamente le cose dette e fatte la sera prima,

---

mormorìo suono che fanno le persone quando parlano a
voce bassa

scoprire la parte segreta della sua dolorosa storia e, soprattutto, capire come avevano potuto sapere il suo nome.

Finalmente arriva a Gorgonzola, un paesetto vicino Bergamo. Lì decide di fermarsi in un'osteria a mangiare un boccone.

Comprensione

1 Decidi se le affermazioni sono vere (V) o false (F).

	V	F
1 Renzo si incammina verso Monza.	☐	☐
2 Don Rodrigo ordina al Griso di scoprire dove si nasconde Lucia.	☐	☐
3 A Milano il popolo saccheggia i forni perché il pane è troppo caro.	☐	☐
4 Anche Renzo saccheggia i forni.	☐	☐
5 Renzo viene arrestato perché scoprono che sta fuggendo da Don Rodrigo.	☐	☐
6 Renzo fa lunghi discorsi contro la prepotenza dei signorotti.	☐	☐
7 Nei suoi discorsi in piazza Renzo si lascia sfuggire il nome di Lucia e Agnese.	☐	☐
8 La folla aiuta i birri a portare Renzo al Palazzo di Giustizia.	☐	☐
9 Renzo arriva all'osteria insieme a un suo amico incontrato in piazza.	☐	☐
10 All'osteria Renzo beve molto vino.	☐	☐
11 L'oste denuncia Renzo al Palazzo di Giustizia.	☐	☐
12 I birri e Don Rodrigo portano via Renzo.	☐	☐
13 La folla aiuta Renzo a scappare.	☐	☐
14 Renzo decide di tornare a casa.	☐	☐

2 La frase "Il segreto stava in lei come un vino nuovo in una botte vecchia" descrive bene un aspetto del carattere di Perpetua: quale? Prova a spiegarlo.

_____

_____

_____

_____

_____

_____

Lessico

3 Ritrova nel testo i seguenti modi di dire e scegli la definizione giusta.

1 Essere nel paese della cuccagna:
   a ☐ essere in un paese lontano.
   b ☐ essere in un paese ricco di ogni bene.
   c ☐ essere in un paese molto lontano.

2 Essere nel bel mezzo di qualcosa:
   a ☐ essere in mezzo a qualcosa di molto bello.
   b ☐ essere in un luogo centrale.
   c ☐ essere nel momento più importante di qualcosa.

3 Mangiare un boccone:
   a ☐ mangiare con piacere.
   b ☐ mangiare velocemente.
   c ☐ mangiare una piccola quantità di cibo.

4 Stare alla larga:
   a ☐ rimanere lontani da qualcuno o da una situazione.
   b ☐ stare in una posizione molto comoda.
   c ☐ essere ingrassati.

4 Nel testo hai incontrato due parole onomatopeiche che indicano dei rumori. Leggi gli esempi e, con l'aiuto di un dizionario e della fantasia, prova a definire le altre tre.

RUMORE	DEFINIZIONE
mormorìo	suono confuso di voci lontane o basse
ronzìo	rumore leggero e continuo che producono alcuni insetti quando volano
calpestìo	
tintinnìo	
fruscìo	
miagolìo	

Capitolo 6

Il cambiamento di Renzo

Renzo esce dall'osteria preoccupato poiché ha capito, dai discorsi sentiti mentre mangiava, che la sua avventura milanese aveva fatto molto rumore*. È ormai mezzanotte e Renzo decide di continuare a camminare, così attraversa il paese e va verso l'Adda.
Cammina e cammina, con più impazienza che voglia, e si accorge di entrare in un bosco. Prova una certa paura, ma la vince e, contro voglia, va avanti, ma più va avanti e più la paura cresce, più ogni cosa gli dà fastidio.

Gli alberi che vede in lontananza gli sembrano figure strane, deformi, mostruose; il rumore delle foglie secche che muove camminando è fastidioso. Le gambe vogliono correre e, nello stesso tempo, fanno fatica a sostenerlo. Sente il vento della notte più freddo e cattivo sulla fronte e sulle guance, gli entra nelle ossa rotte dalla stanchezza e gli toglie le ultime forze che ha in corpo. Sta per perdersi ma, impaurito dal suo stesso terrore, cerca di trovare le ultime energie, chiedendo

fare rumore (qui) diventare noto tra molta gente

a se stesso di resistere. Così si ferma e decide di uscire subito da quel bosco, di tornare all'ultimo paese che ha attraversato e cercare un rifugio, anche all'osteria.

E stando così fermo, il silenzio intorno a lui gli permette di sentire un rumore, che sembra d'acqua corrente. Ora ne è sicuro:

– È l'Adda!

È come ritrovare un amico, un fratello, un salvatore. La stanchezza quasi scompare, sente il sangue scorrere libero e caldo per tutto il corpo, sente crescere la fiducia nei suoi pensieri; alza lo sguardo e vede sull'altra riva una città. Bergamo sicuramente.

Ormai è tardi, quindi Renzo decide di dormire lì, in una capanna. Prima di addormentarsi, però, su un letto di paglia che la Provvidenza* gli aveva preparato, si inginocchia e La ringrazia per tutto l'aiuto che gli ha dato in quella terribile giornata e, pregando, si addormenta. Ma appena chiusi gli occhi, comincia nella sua memoria, o nella sua fantasia, un andare e venire di gente, così caotico da mandare via il sonno. Il notaio, i birri, l'oste, Ferrer, il vicario, la gente dell'osteria, la confusione nelle strade e poi don Abbondio e poi Don Rodrigo: tutta gente che Renzo giudica con rabbia e severità.

Tre sole immagini si presentano ai suoi pensieri non accompagnate da rabbia o tristezza, anzi completamente prive* di ogni sospetto, amabili in tutto e due principalmente, molto differenti fra loro, ma strettamente unite nel cuore del giovane: una treccia* nera e una barba bianca. La treccia di Lucia e la barba di fra Cristoforo.

Ma anche la consolazione che prova nel pensare a loro è tutt'altro che tranquilla. Pensando al buon frate, sente la vergogna per tutto

---

Provvidenza la volontà di Dio
privo di che non ha, senza

treccia

quello che ha combinato* a Milano e per aver ignorato i suoi paterni consigli. Pensando a Lucia, non si può nemmeno immaginare ciò che sente. E quella povera Agnese, come poteva dimenticarla? Quell'Agnese che lo aveva scelto e che lo aveva già considerato come una cosa sola con la sua unica figlia. Che notte, povero Renzo! Quella che doveva essere la quinta notte delle sue nozze! Che stanza! Che letto matrimoniale! E dopo quale giornata! E che giorni lo aspettano!

– Quello che Dio vuole, – risponde ai pensieri che gli danno più fastidio, – quello che Dio vuole. Lui sa quello che fa: Lui c'è anche per noi.

Tra questi pensieri, battendo i denti per il freddo, aspetta la luce del giorno e conta con impazienza le ore. Finalmente il mattino arriva con la sua luce a rischiarare i suoi pensieri. Il cielo promette una bella giornata e la luna in un angolo, anche se pallida, spicca nel cielo infinito color grigio cenere. Più giù, all'orizzonte, si vedono poche nuvole, tra l'azzurro e il bruno*: quel cielo di Lombardia, così bello quand'è bello, così splendido, così in pace. In un'altra situazione Renzo avrebbe sicuramente guardato verso il cielo e ammirato quell'alba*, così diversa da quella che era abituato a vedere nei suoi monti, ma deve fare attenzione alla sua strada e camminare a passi lunghi, per riscaldarsi e per arrivare presto.

Arrivato al fiume, sale su una barca e si fa portare dall'altra parte. Si ferma un momento a guardare la riva opposta, quella terra che poco prima lo aveva così tanto impaurito:

– Ah! Ne sono proprio fuori! – è il suo primo pensiero.

– Sta lì, maledetto paese! – è il secondo, l'addio alla patria. Ma il terzo pensiero va a chi sta lasciando in quel paese.

---

combinare (qui) fare guai, cose che non vanno bene   **alba** momento in cui nasce il sole
bruno un colore tra il nero e il marrone

Poi gira le spalle e si incammina verso Bergamo e, da lì, verso il paese di suo cugino.

Arrivato là entra in un filatoio* e domanda di un certo Bortolo Castagneri.

– Il signor Bortolo! Eccolo là! – gli rispondono.

– Signore? Buon segno, – pensa Renzo, poi vede il cugino e gli corre incontro. Quello si gira e riconosce il giovane, che gli dice:

– Sono qui.

Un 'oh!' di sorpresa:

– Sono contento di vederti! Ti ho invitato tante volte, ma non sei mai voluto venire! Ora arrivi in un momento un po' difficile.

– In realtà non sono venuto di mia volontà, – risponde Renzo e, non senza commozione, gli racconta la dolorosa storia.

– Oh, povero Renzo! – esclama Bortolo. – Io non ti abbandonerò. Veramente ora non abbiamo bisogno di operai, ma il padrone mi vuole bene e poi sono il factotum*. Povera Lucia Mondella! Me la ricordo benissimo: una brava ragazza! Sempre la più composta* in chiesa; e quando si passava da casa sua... Mi sembra di vederla, quella casuccia, appena fuori del paese, con un bel fico davanti..."

– No, no, non ne parliamo! – risponde Renzo.

– Volevo dire che, quando si passava da quella casuccia, si sentiva sempre il mulinello* che girava, girava, girava. E quel Don Rodrigo! Già, anche quando io ero ancora lì, era una persona pericolosa. Ma ora fa il diavolo, per quello che sento! Dunque, come ti dicevo, anche qui si soffre un po' la fame... A proposito, hai fame?

– Ho mangiato poco fa durante il viaggio.

– E i soldi, li hai?

---

filatoio fabbrica dove si fa il filo per le stoffe
factotum la persona che si occupa un po' di tutto

composta (qui) molto educata e ordinata
mulinello strumento che serve per filare la seta o la lana

– No.

– Non importa, – dice Bortolo. – Ne ho io e non ci pensare che, presto presto, cambiando le cose se Dio vorrà, me li restituirai★.

– Ho qualcosina★ a casa e me la farò mandare, – risponde subito Renzo.

– Va bene! Intanto conta su di me. Dio mi ha dato del bene per fare del bene e se non ne faccio ai parenti e agli amici, a chi ne farò?

– L'ho detto io della Provvidenza! – esclama Renzo, stringendo affettuosamente la mano al buon cugino.

– Dunque, – riprende questo, – a Milano hanno fatto tutto quel rumore. Mi sembrano un po' matti. Era arrivata la voce anche qui; ma voglio che tu mi racconti la cosa più dettagliatamente. Eh! Ne abbiamo di cose da dire. Qui però, vedi, è tutto più tranquillo e si fanno le cose con un po' più di intelligenza.

Quello stesso giorno il capitano di giustizia aveva ordinato di cercare Renzo nel suo paese. La sua casetta era stata saccheggiata ma Renzo naturalmente non era stato trovato. In paese si sentivano dire tante cose su Renzo e la gente, stupita, non sapeva cosa credere. Fra loro c'era però un uomo felice di tutti i guai in cui Renzo si trovava e quell'uomo era Don Rodrigo. Nel frattempo il Griso, il suo bravo di fiducia, era tornato dal suo padrone per raccontargli tutte le informazioni avute su Agnese e Lucia.

Le due povere donne si erano appena sistemate nel convento di Monza e già si era sparsa per la città la notizia della rivolta di Milano, raccontata con mille particolari, che crescevano e cambiavano ogni

---

restituire dare indietro
qualcosina qualcosa, un po' di

momento. Poi un giorno una donna domanda a Lucia:

– È proprio del vostro paese quello che è scappato per non essere impiccato*? Un filatore di seta che si chiama Tramaglino: lo conoscete?

Lucia diventa pallida e rimane muta, così Agnese prende la parola e dice che lo conosce ma non sa davvero perché gli è successa una cosa simile, dato che è sempre stato un giovane tranquillo.

Agnese approfitta della domanda per chiedere se il giovane è riuscito a scappare e dove, ma la donna risponde:

– Scappato, lo dicono tutti; dove, non si sa.

Una tale certezza è un grandissimo sollievo per Lucia: da quel momento le sue lacrime diventano più dolci e in tutte le sue preghiere c'è mescolato un ringraziamento.

❖ ❖ ❖

Un giovedì era arrivato al monastero un uomo che chiedeva di parlare con Agnese. Era di Pescarenico, lo mandava il buon frate Cristoforo a salutare le donne da parte sua, a raccontare quello che si sapeva della triste storia di Renzo, e a pregarle di avere pazienza e confidare in Dio.

Passato del tempo senza avere altre notizie, Agnese aveva deciso di tornare per qualche giorno in paese per controllare la casa e per avere altre notizie su Renzo. Aveva deciso di passare prima al convento di Pescarenico per far visita a Padre Cristoforo, ma un frate le aveva risposto che fra Cristoforo si trovava a Rimini dove era andato a predicare la quaresima*. Agnese si era incamminata così verso il suo paesetto, desolata e confusa, come un povero cieco che ha perso il suo bastone.

❖ ❖ ❖

impiccato ucciso con una corda intorno al collo
quaresima per i cattolici è il periodo di quaranta giorni di penitenza, prima di Pasqua

Don Rodrigo, intanto, vuole trovare il modo di rapire Lucia. Dato che, da solo, può fare ben poco di fronte a un monastero, soprattutto un monastero come quello di Monza, decide di chiedere aiuto a un misterioso e potente signorotto, detto l'innominato. Quell'uomo speciale ha mani che arrivano dove non arriva la vista degli altri.

Comprensione

1 Rispondi alle seguenti domande.

1 Qual è lo stato d'animo di Renzo nella prima parte del capitolo?

2 Che cosa rappresenta l'Adda per Renzo?

3 Che cos'è la Provvidenza?

4 Perché la natura è così ben descritta? Che ruolo ha in questo capitolo?

5 Ora che hai letto il capitolo, in che modo è cambiato Renzo?

6 Quali sono i rimpianti di Renzo e verso quali persone prova dei sensi di colpa? Perché?

2 Leggi le frasi seguenti e rimettile in ordine cronologico.

☐ Renzo attraversa l'Adda e raggiunge Bergamo e la casa del cugino Bortolo.

☐ Don Rodrigo decide di chiedere aiuto a un ricco e potente signore per riuscire ad avere Lucia.

☐ Renzo trascorre una brutta notte nel bosco.

☐ Il Griso riferisce a Don Rodrigo tutte le informazioni ottenute su Agnese e Lucia.

☐ Lucia viene a sapere da una donna che Renzo è vivo.

[7] Renzo attraversa la campagna, si ferma in un'osteria, arriva all'Adda e passa la notte in una capanna.

☐ Agnese va a trovare fra Cristoforo a Pescarenico, ma lui non c'è.

Scriviamo

3 Che cosa pensi di Renzo? Descrivi il suo carattere basandoti sui capitoli letti finora.

_____

_____

Parliamo

4 Hai mai passato una notte piena di pensieri e riflessioni come la lunga notte trascorsa da Renzo nel Capitolo 6? Raccontala ad un tuo compagno.

PRIMA DELLA LETTURA

5 Secondo te, Don Rodrigo riuscirà a rapire Lucia? Se sì, come visto che la ragazza non esce mai dal monastero? Quali personaggi potrebbero aiutare Don Rodrigo a rapire Lucia? Fai delle ipotesi con un tuo compagno.

Ascolto

▶ 5 **6** Ascolta la prima parte del Capitolo 7 e completa le frasi con le parole della natura che mancano. Poi leggi e controlla.

Il castello dell'Innominato si trovava in una _____ stretta e buia, sulla _____ di un ripido _____. Ci si arriva per una sola _____, ripida e difficile, perché è un _____ di sassi dove, secondo la stagione, scorre un _____.
Dall'alto del suo castellaccio, come _____ dal suo _____ insanguinato, il selvaggio signore domina tutto lo spazio intorno e non vede mai nessuno al di sopra di sé, né più in alto.

Capitolo 7

Lucia e l'innominato

▶ 5 Il castello dell'innominato si trova in una valle stretta e buia, sulla cima di un ripido colle. Ci si arriva per una sola strada, ripida e difficile, perché è un letto di sassi dove, secondo la stagione, scorre un torrente.

Dall'alto del suo castellaccio, come l'aquila dal suo nido insanguinato, il selvaggio signore domina tutto lo spazio intorno e non vede mai nessuno al di sopra di sé, né più in alto. Del resto, nessuno ha mai avuto il coraggio di andare lassù, e neppure nella valle, se non è gradito al padrone del castello. Questo è ciò che si sapeva del luogo, ma del nome del padrone niente.

Arrivato al castello, Don Rodrigo viene fatto passare per corridoi bui e per molte sale e in ognuna c'è qualche bravo di guardia. Dopo aver aspettato molto, è finalmente fatto entrare in quella dove c'è l'innominato. Questo gli va incontro guardandogli le mani e il viso, come faceva sempre, e ormai quasi involontariamente, con tutti quelli che venivano da lui. Era alto, con la pelle scura, calvo; bianchi i pochi capelli che gli rimanevano, rugosa* la faccia: a prima vista sembrava avere più dei sessant'anni che aveva; ma i movimenti, la durezza dei lineamenti, la luce sinistra* ma viva degli occhi, indicavano una forza di corpo e d'animo, che sarebbe stata straordinaria in un giovane.

Don Rodrigo gli dice che viene per avere un aiuto e un consiglio. L'innominato – che ne sapeva già qualcosa – sta a sentire con attenzione, sia perché curioso di simili storie, sia perché in essa c'è anche un nome a lui noto e odiosissimo, quello di fra Cristoforo, grande nemico dei tiranni sia con le parole sia, dove poteva, con le azioni.

Don Rodrigo, sapendo con chi parlava, si mette a esagerare le difficoltà dell'impresa: la distanza del luogo, un potente monastero, la signora di Monza...

A questo punto l'innominato, come se un demonio nascosto nel suo cuore glielo comanda, lo interrompe subito dicendo che accetta l'impresa. Scrive il nome della povera Lucia e manda via Don Rodrigo, dicendo:

– Tra poco avrete da me le indicazioni di quello che dovrete fare.

L'innominato aveva immediatamente accettato l'impresa perché Egidio, l'uomo che abita accanto al monastero dove la povera Lucia si era rifugiata, è uno dei più stretti e intimi colleghi di scelleratezze* dell'innominato. Rimasto solo, però, si era quasi pentito, o comunque era infastidito di aver accettato. Già da qualche tempo, infatti, cominciava a provare, se non pentimento, una certa irrequietezza per la sua vita scellerata. Tornava anche a sentire quel certo ribrezzo* per le sue scelleratezze provato molti anni prima nei suoi primi delitti.

---

rugosa piena di rughe, segni che si formano sul viso quando si invecchia
sinistra minacciosa, cattiva

scelleratezze azioni molto disoneste
ribrezzo disgusto, rifiuto

Quel Dio, di cui aveva sentito parlare, in certi momenti di tristezza senza una ragione precisa, o di terrore senza pericolo, lo sentiva gridare dentro di sé e lui reagiva con una ferocia ancora più cupa. Proprio per questo, per non dare nessuna occasione all'esitazione, aveva accettato subito la richiesta di Don Rodrigo.

❖ ❖ ❖

Su ordine dell'innominato, Egidio va dalla monaca di Monza per escogitare il modo per rapire Lucia. Gertrude, che a causa della sua disgraziata relazione con Egidio, è ormai solo uno strumento nelle mani dell'uomo, tenta tutte le strade per evitare questa scelleratezza ma alla fine ubbidisce come aveva sempre ubbidito, sacrificando la povera Lucia. Così, con l'inganno la fa uscire dal monastero. Lucia entra in una strada deserta, sente crescere la paura e affretta il passo. Poco dopo, però, riprende coraggio vedendo una carrozza da viaggio ferma e, accanto a quella, davanti allo sportello aperto, due viaggiatori che guardano qua e là, come incerti della strada. Quando arriva alla carrozza, uno dei due le dice:

– Buona giovane, ci sapete indicare la strada per Monza?

– In questa direzione vi dirigete per la strada opposta, – risponde la poverina, girandosi per indicare con il dito la strada e, in quel momento, l'altro uomo la prende all'improvviso per la vita e la alza da terra. Lucia gira la testa indietro terrorizzata e urla, ma l'uomo la butta subito nella carrozza. L'animo di Lucia è pieno di terrore e angoscia: la poverina spalanca* gli occhi spaventati, per conoscere la sua orribile situazione, e li richiude subito per il terrore di quei visacci.

L'innominato aspettava la carrozza con un nervosismo insolito. Cosa

---

spalancare aprire completamente

strana! Quell'uomo che non aveva mai pensato ai dolori provocati dalle sue scelleratezze ora, nel mettere le mani addosso a questa sconosciuta, a questa povera contadina, sente come un ribrezzo, quasi un terrore. Da un'alta finestra del suo castellaccio guardava già da un po' verso la valle ed ecco arrivare la carrozza. Sente il cuore battere più forte e vuole chiamare uno dei suoi sgherri e ordinargli di portare subito Lucia al palazzo di Don Rodrigo. Ma un 'no' che risuona nella sua mente fa sparire quell'idea; così fa portare Lucia al castello e la fa sistemare in una stanza, sorvegliata da una vecchia serva.

Il Nibbio, sgherro di fiducia dell'innominato e anche lui crudele e spietato, era stato uno dei rapitori di Lucia. Quando va a riferire al padrone del rapimento dice, incredibilmente, di aver avuto compassione per la rapita. L'innominato è veramente sorpreso:
    – Questa ragazza ha qualche demonio o qualche angelo che la protegge... Voglio vederla... No!... Sì, voglio vederla! – decide infine.
    Entrato nella stanza le dice:
    – Alzatevi, non voglio farvi del male.
    – Perché sono qui? Cosa le ho fatto io? Dove sono? In nome di Dio...
    – Dio, Dio, sempre Dio! Quelli che non possono difendersi da soli, che non hanno la forza, hanno sempre questo Dio da invocare. Cosa pretendete, con questa parola, di farmi...
    – Oh Signore! Pretendere! Cosa posso pretendere io sventurata, se non la sua misericordia? Dio perdona tante cose, per un'opera di misericordia! Mi lasci andare, per carità mi lasci andare! Ed io pregherò per lei, tutta la mia vita!
    Infine, l'innominato esce e Lucia, in quella notte infernale, piena

di angoscia, di paure, di ricordi terribili e di preghiere, con il rosario in mano, decide di fare un voto* alla Madonna donandole l'unica cosa che ha: se stessa.

– Madre del Signore, faccio voto di non sposarmi mai e di essere Vostra per tutta la vita.

E, come chiaro segno del suo voto, indossa il rosario al collo.

L'innominato intanto è tornato nella sua stanza, ma non riesce a dormire perché le parole di Lucia avevano fatto nascere in lui strani pensieri:

– La ragazza è ancora viva, è qui, e io sono in tempo, le posso dire che è libera, le posso chiedere di perdonarmi... Io? A una donna?! Chissà... Forse queste parole potrebbero togliermi un po' di questa scelleratezza e allora le direi, sento che le direi. La libererò, sì. E la promessa? Don Rodrigo? Chi è Don Rodrigo?

Tutto gli appare cambiato. Ciò che altre volte aveva fatto nascere i suoi desideri, ora non ha più nulla di desiderabile. Quel nuovo lui, cresciuto terribilmente e improvvisamente, giudicava l'antico. La volontà di accettare l'accordo con Don Rodrigo era stata una decisione ubbidiente al suo antico modo di essere, la conseguenza di mille antiche scelleratezze. E così ora, esaminando un solo fatto, si trovava ad esaminare tutta la sua vita. Lucia per lui non era più una prigioniera, ma qualcuno capace di donare grazia e consolazione. Aspettava ansiosamente l'alba per correre a liberarla e sentire dalla sua bocca altre parole di vita.

Il mattino dopo, uno sgherro aveva detto all'innominato che il Cardinale Federico Borromeo, arcivescovo di Milano, era arrivato in paese e ci sarebbe rimasto tutto il giorno. Decide quindi di andare

voto (qui) promessa fatta a Dio, alla Madonna o ai Santi

da lui. Giù in paese sono tutti attoniti vedendo l'innominato andare a casa del Cardinale, ma Federico lo accoglie senza esitazione, con un volto amichevole e sereno e con le braccia aperte, come di fronte a una persona desiderata e aspettata. I due rimangono a lungo senza parlare. L'innominato, guardando il viso di quell'uomo, sente crescere dentro di sé un dolcissimo sentimento di venerazione. La presenza di Federico era infatti di quelle che esprimono superiorità e la fanno amare. Il portamento* era naturalmente composto, e quasi involontariamente maestoso*, nonostante l'età. L'occhio era vivace, la fronte serena e pensierosa.

– Oh! – esclama. – Che preziosa visita è questa! E quanto vi devo essere grato di una tale decisione: anche se per me è come un rimprovero!

– Rimprovero?! – esclama il signorotto molto sorpreso ma addolcito da quelle parole.

– Certo, è un rimprovero perché voi mi avete preceduto quando, da tanto tempo, avrei dovuto venire io da voi.

– Da me, voi! Vi hanno detto chi sono? Vi hanno detto bene il mio nome?

– E questa consolazione che io sento, la proverei davanti a uno sconosciuto? Siete voi che me la fate provare! Voi, dico, che avrei dovuto cercare! Voi che ho tanto amato e pianto, per cui ho tanto pregato. Voi, tra i miei figli, che avrei più desiderato accogliere e abbracciare. Ma Dio sa fare meraviglie e sa rimediare* alla debolezza e alla lentezza dei suoi poveri servi.

L'innominato era attonito davanti a quelle parole. Poi Federico riprende ancora più affettuosamente:

– Voi avete una buona notizia da darmi e me la fate tanto sospirare?

---

portamento modo di muoversi e camminare
maestoso nobile, solenne

rimediare correggere

– Una buona notizia, io? Ho l'inferno nel cuore. Ditemi voi, se lo sapete, qual è questa buona notizia.

– Che Dio vi ha toccato il cuore e vuole farvi Suo, – risponde con calma il cardinale.

– Dio! Dio! Dio! Non lo vedo! Non lo sento! Dov'è questo Dio?

– Voi me lo domandate? E chi più di voi lo ha vicino? Non lo sentite nel cuore, che vi tormenta, che vi agita, che non vi lascia stare e, nello stesso tempo, vi attira, vi fa immaginare una speranza di pace e di consolazione piena?

Federico fa capire all'innominato che Dio può perdonarlo e che può fare di lui un uomo nuovo. L'innominato si copre il viso e scoppia in un pianto dirotto*. Il buon cardinale, commosso quanto lui, lo abbraccia e le lacrime del convertito* cadono abbondanti sulla porpora* incontaminata* di Federico. E il convertito gli dice che aveva molte cose per cui poteva solo piangere ma ne aveva una, ancora, da poter subito riparare.

Raccontata tutta la triste storia a Federico, corrono a liberare Lucia e la portano al sicuro in casa di brava gente. In breve tempo Agnese la raggiunge e madre e figlia possono così finalmente riabbracciarsi. Dopo alcuni giorni raggiungono il loro paesello ma, per prudenza, Lucia va a stare a Milano per qualche tempo.

---

dirotto continuo e forte
convertito (qui) che ha trovato la fede in Dio

porpora una tonalità di colore rosso, tipica dei vestiti dei cardinali
incontaminata del tutto pulita, anche in senso morale

CILS - Comprensione

1 **Scegli la risposta corretta.**

1 **Perché l'innominato si pente di aver accettato la proposta di Don Rodrigo?**
a ☐ Perché ha un combattimento interiore fra il bene e il male.
b ☐ Perché non ha ancora un piano per rapire Lucia.
c ☐ Perché non è un piano interessante per uno come lui.

2 **Perché Gertrude aiuta Egidio nel rapimento di Lucia?**
a ☐ Perché è invidiosa della bellezza di Lucia.
b ☐ Perché Egidio la minaccia e lei ha paura.
c ☐ Perché, psicologicamente, è schiava di Egidio.

3 **Perché l'innominato aspetta con tanta ansia l'arrivo di Lucia?**
a ☐ Perché è segretamente innamorato di Lucia.
b ☐ Perché sente di fare una cosa sbagliata.
c ☐ Perché ha paura che qualcuno possa scoprire il suo piano.

4 **Nella lunga notte passata al castello, Lucia decide di:**
a ☐ pregare.
b ☐ fare un voto alla Madonna.
c ☐ provare a fuggire.

5 **Quali sono i sentimenti di Lucia per l'innominato?**
a ☐ Lo odia per quello che le sta facendo.
b ☐ Prova pietà e misericordia.
c ☐ Prova indifferenza.

6 **Il Cardinale Federico Borromeo accoglie l'innominato:**
a ☐ con paura e timore perché sa che è un uomo pericoloso.
b ☐ con severa autorità.
c ☐ come un padre riaccoglie un figlio che aveva perduto.

Lessico

2 Completa questa descrizione dell'innominato aiutandoti con il testo.

L'innominato aveva l'abitudine di guardare le _____ e il _____ di tutti quelli con cui parlava. Aveva _____ anni ma ne dimostrava di più, forse per la sua faccia _____ e per i lineamenti _____. Aveva la pelle _____ ed era quasi completamente _____: i pochi capelli che ancora aveva erano _____. Nonostante la sua età sembrava un uomo pieno di _____ ed i suoi occhi erano _____ ma _____.

Grammatica

3 In questo capitolo troviamo il dispregiativo (una parola alterata con il suffisso -accio/a) 'castellaccio'. Trova un altro dispregiativo nel testo e scrivilo nella tabella insieme alla sua parola base. Poi scrivi i dispregiativi delle parole date.

Parola base	Parola alterata
1	
2 film	
3 libro	
4 ragazzo	

Riflessione grammaticale

4 Secondo te, quale funzione hanno i dispregiativi trovati nel testo? Che cosa vogliono mettere in evidenza?

_____

_____

_____

Capitolo 8

La peste*

▶ 6 Intanto la miseria, che per un momento era sembrata diminuire, tornava ad essere più nera di prima. Le autorità non riuscivano a comprare il grano all'estero, molte persone morivano e la città era piena di cadaveri. Così, alla fine della primavera, gli ammalati e i poveri vengono chiusi nel lazzaretto*: da tremila a diecimila in poco tempo. A Milano morivano circa cento persone ogni giorno. Molti si ammalavano di mali strani e sconosciuti. Alcuni medici parlavano di peste, ma non venivano creduti. I sintomi* erano gli stessi in tutti i malati: macchie scure e dolorose sulla pelle, febbre altissima, gonfiori*. Nel gennaio 1630 il male era aumentato e in marzo era già diffuso in tutte le famiglie, molti venivano trasportati al lazzaretto, che era affidato ai frati cappuccini.

Il popolo, spaventato, iniziava ormai a parlare di polveri infernali e di un olio misterioso che alcuni uomini, detti 'untori', spargevano dappertutto per diffondere la peste. Si diceva che gli untori usavano un misto di veleno di rospi, di serpenti e materia di appestati.

---

peste malattia mortale molto infettiva
lazzaretto antico ospedale per persone con malattie infettive

sintomi caratteristiche di una malattia
gonfiori (qui) bolle sul corpo

Questa diceria* si diffonde ancora di più quando una mattina, in alcuni quartieri, trovano i muri delle case unti con uno strano olio giallognolo*. I malati nel lazzaretto arrivano a cinquantamila e sono davvero pochi quelli che sopravvivono alla terribile malattia. Al lazzaretto arriva un giorno anche Don Rodrigo che non era stato risparmiato dalla peste.

❖ ❖ ❖

Anche Renzo aveva avuto la peste ma era guarito e ora, di nuovo in forze, partiva per andare a ritrovare Lucia.

Arrivato al paesello, va subito alla casa di Agnese, ansioso e timoroso. Durante il cammino, però, vede venire avanti una figura nera che riconosce immediatamente come don Abbondio. Il curato cammina piano piano portando il bastone e, man mano che s'avvicina, si può ben vedere nel suo volto pallido che neanche lui è stato risparmiato dalla peste.

– Siete qui, voi? – esclama don Abbondio.

– Sono qui, come lei vede. Si sa niente di Lucia?

– Non se ne sa niente. È a Milano, se è ancora in questo mondo. Ma voi…

– E Agnese, è viva?

– Forse, ma non lo so, non è qui, è andata da alcuni suoi parenti, in un paese dove la peste non fa il diavolo* come qui.

– E fra Cristoforo?

– È andato via molto tempo fa e non si è saputo più niente di lui.

Renzo, anche se scoraggiato da don Abbondio – che non era cambiato per niente e che voleva allontanarlo il più presto possibile per evitare guai – continua per la sua strada e passa per la sua casetta. Ritrova anche un amico, unico sopravvissuto di tutta la sua famiglia

diceria chiacchiera
giallognolo una brutta tonalità di giallo

non fare il diavolo non essere terribile

e, dopo aver cenato e dormito da lui, il giorno dopo si incammina verso Milano.

Arrivato in città, trova davanti a sé vie deserte, piazze piene di cadaveri e carri che trasportano dei corpi seminudi, ammucchiati uno sopra l'altro.

Finalmente arriva alla porta del lazzaretto ed entra con il cuore in gola⋆: c'erano sedicimila malati di peste! All'improvviso vede passare un cappuccino che sembra proprio fra Cristoforo. Allora gli corre incontro: è proprio lui!

Ma la consolazione di Renzo nel ritrovare il suo buon frate dura solo un istante. Nel riconoscerlo vede quanto è cambiato: il portamento curvo, il viso magro, stanco e pallido… in tutto il suo portamento si vede una persona esausta⋆, un corpo rotto e cadente che si aiuta e si tiene in piedi solo con un grande sforzo dell'animo.

– Oh padre Cristoforo!

– Tu qui! – dice il frate.

– Come state, padre? Come state?

– Meglio di tanti poverini che tu vedi qui, – risponde il frate e la sua voce è debole, cupa, diversa da prima come tutto il resto. L'occhio soltanto è quello di prima e ha qualcosa di più vivo e più splendido: la carità, vicina a Dio, gli dà un fuoco più forte e più puro di quello che la malattia spegneva a poco a poco.

– Ma tu, come sei qui? Perché vieni così ad affrontare la peste?

– L'ho avuta, grazie al cielo. Vengo… a cercare… Lucia.

– Lucia! È qui Lucia?

– È qui o almeno spero in Dio che ci sia ancora.

– È tua moglie?

con il cuore in gola nervoso e spaventato
esausta stanchissima, ormai senza forze

– Oh caro padre! No, non è mia moglie. Non sapete nulla di tutto quello che è successo?

– No, figliuolo: da quando Dio mi ha allontanato da voi, io non ho saputo più nulla. E la condanna nei tuoi confronti?

– Dunque voi sapete le cose che mi hanno fatto?

– Ma tu, che avevi fatto?

– Sentite, giudizio non ne ho avuto quel giorno a Milano, ma nemmeno ho fatto cattive azioni.

– Lo credo, e lo credevo anche prima.

– Ora dunque vi potrò dire tutto.

– Dimmi quello che non so, dimmi di quella nostra poverina e cerca di fare in fretta perché c'è poco tempo e molto da fare, come tu vedi.

Renzo racconta tutta la triste storia e poi dice al frate che ha saputo che Lucia è lì nel lazzaretto, così fra Cristoforo lo manda a cercarla nel reparto delle donne e soprattutto lo prepara sia ad una grande gioia, sia ad un grande dolore, poiché pochi sopravvivevano alla peste.

– Vado, guarderò, cercherò ovunque… e se non la trovo…

– Se non la trovi? – gli chiede il frate con uno sguardo molto serio.

– Se non la troverò, vedrò di trovare qualcun altro. O a Milano, o nel suo scellerato palazzo, o in capo al mondo, o a casa del diavolo, lo troverò quel furfante* che ci ha separati. Senza di lui Lucia sarebbe mia da venti mesi e se eravamo destinati a morire, almeno saremmo morti insieme!

– Renzo! – esclama il frate, afferrandolo per un braccio, e guardandolo ancor più severamente.

– Sciagurato*! – grida il frate con una voce che aveva ripreso tutta

furfante persona disonesta e cattiva
sciagurato misero, disgraziato

l'antica pienezza e sonorità. Le guance si colorivano dell'antica vita e il fuoco degli occhi aveva qualcosa di terribile.

– Guarda chi è Colui che castiga*! Colui che giudica e non è giudicato! Colui che punisce e che perdona! Ma tu, verme della terra, tu vuoi fare giustizia?! Tu sai qual è la giustizia?! Va', sciagurato, vattene! Io, speravo... sì, ho sperato che, prima della mia morte, Dio mi avrebbe dato la consolazione di sapere viva la povera Lucia; forse di vederla. Ma tu mi hai tolto la speranza. Dio non l'ha lasciata in terra per te. Avrà pensato a lei, perché lei è una di quelle anime a cui sono riservate le consolazioni del Paradiso. Va'! Non ho più tempo di ascoltarti.

E così dicendo va verso una capanna di malati.

– Ah padre! – risponde Renzo, andandogli dietro. – Mi vuole mandare via in questa maniera?

– Come? – riprende, con voce non meno severa, il cappuccino. – Vuoi rubare il tempo a questi malati, che aspettano da me parole sul perdono di Dio, per ascoltare le tue parole di rabbia, i tuoi piani di vendetta? Ti ho ascoltato quando tu chiedevi consolazione e aiuto, ma ora tu hai la vendetta nel cuore: che vuoi da me? Vattene sciagurato! Ne ho visti morire qui degli offesi che perdonavano! E anche degli offensori che soffrivano per non poter chiedere perdono all'offeso: ho pianto con gli uni e con gli altri; ma con te che cosa devo fare?

– Ah, lo perdono! Lo perdono davvero, lo perdono per sempre! – esclama Renzo.

– Renzo! – dice il frate con una serietà più tranquilla. – Pensaci e dimmi quante volte lo hai perdonato.

E, rimasto molto tempo senza ricevere una risposta, all'improvviso fra Cristoforo abbassa la testa e, con voce cupa e lenta, riprende:

castigare punire

– Tu sai perché io porto questo abito.

Renzo non risponde.

– Tu lo sai! – riprende il vecchio frate.

– Lo so, – risponde Renzo.

– Ho odiato anch'io: io, che ti ho rimproverato per un pensiero, per una parola, l'uomo che io odiavo da molto tempo, io l'ho ucciso…

– Sì, ma era un prepotente, uno di quelli…

– Zitto! – lo interrompe il frate. – Tu credi che, se c'era una buona ragione, io non l'avrei trovata in trent'anni? Tu sai, tu lo hai detto tante volte, che Lui può fermare la mano di un prepotente, ma può fermare anche quella di un vendicativo*. E perché sei povero, perché sei offeso, credi tu che Lui non difenderà contro di te un uomo che ha creato a sua immagine? Sai tu cosa puoi fare? Puoi odiare e perderti; puoi, con un tuo sentimento, allontanare da te ogni benedizione.

– Sì, sì, – dice Renzo, tutto commosso e tutto confuso, – capisco che non lo avevo mai perdonato davvero; capisco che ho parlato da bestia e non da cristiano, ma ora, con la grazia del Signore, lo perdono proprio di cuore.

– E se tu lo vedi?

– Pregherò il Signore di dare pazienza a me e di toccare il cuore a lui.

– Ti ricordi che il Signore non ci ha detto di perdonare i nostri nemici, ma ci ha detto di amarli?

– Sì, con il Suo aiuto.

– Allora, vieni con me. Hai detto "lo troverò" e lo troverai. Vieni e vedrai chi odiavi.

E, presa la mano di Renzo, come avrebbe potuto fare un giovane sano, si incammina. Renzo, senza osare chiedere altro, lo segue.

---

vendicativo persona che cerca vendetta

Dopo pochi passi, il frate si ferma davanti a una capanna, fissa gli occhi di Renzo, con un misto di serietà e di tenerezza, e lo porta dentro. Renzo, girando con una curiosità inquieta, vede tre o quattro malati, poi ne vede un altro da una parte, lo fissa, riconosce Don Rodrigo e fa un passo indietro.

L'infelice stava immobile, con gli occhi spalancati, ma senza sguardo; il viso era pallido e pieno di macchie nere, nere e gonfie le labbra: sembrava il viso di un morto, solo una contrazione* violenta era il segno di una vita ancora presente.

– Tu vedi! – dice il frate, con voce bassa e grave. – Può essere punizione, può essere misericordia. Benedicilo e sarai benedetto. Forse la salvezza di quest'uomo e la tua dipendono ora da te, da un tuo sentimento di perdono, di compassione… d'amore!

Poi il frate rimane in silenzio e, giunte* le mani e chinato il viso, comincia a pregare: Renzo fa lo stesso.

– Va' ora, – riprende il frate, – va' preparato, sia a ricevere una grazia, sia a fare un sacrificio. Va' a lodare Dio, al di là delle risposte che troverai, cercando la tua Lucia. E qualunque risposta troverai, vieni da me e lo loderemo insieme.

Qui, senza dir altro, si separano; uno torna da dove era venuto; l'altro si avvia verso la cappella, non lontana da là più di cento passi.

---

contrazione movimento rigido dei muscoli
giunte unite

Comprensione

1 Rispondi alle seguenti domande.

1 Quali personaggi si sono ammalati di peste?

2 Quali sono i sintomi della peste?

3 Che cos'è un lazzaretto?

4 Chi sono gli untori?

5 Renzo cerca Lucia e dice "Se non la troverò, vedrò di trovare qualcun altro". Chi vuole trovare e perché?

6 Fra Cristoforo prende per mano Renzo: dove lo porta e perché?

Grammatica

2 Cerca nel testo le forme del futuro semplice e scrivile nella tabella con il pronome personale. Poi scrivi il verbo al futuro anteriore. Alcuni verbi si ripetono.

FUTURO SEMPLICE	FUTURO ANTERIORE
(io) potrò	*avrò potuto*
1	
2	
3	
4	
5	
6	
7	
8	
9	
10	
11	
12	

3 Ora completa le frasi con alcune delle forme del futuro trovate.

1 Renzo _____ ovunque per ritrovare Lucia.

2 Se Renzo non _____ Lucia,
_____ di trovare qualcun altro.

3 Renzo è sicuro che _____ quel furfante di
Don Rodrigo.

4 Dio _____ Don Rodrigo dalla vendetta Renzo.

5 Renzo _____ Dio di dargli pazienza.

6 Fra Cristoforo e Renzo _____ Dio insieme.

Scrivere

4 Renzo, grazie alle profonde parole di fra Cristoforo, decide
di perdonare Don Rodrigo. E tu, che cosa avresti fatto al suo
posto? Che cosa pensi del discorso fatto da fra Cristoforo a
Renzo?

_____

_____

_____

_____

_____

_____

PRIMA DELLA LETTURA

▶ 7 **5** Ascolta il Capitolo 9: che cosa succederà, secondo te? Scegli
un'ipotesi, poi leggi il testo e controlla se l'ipotesi che hai
scelto è esatta.

a ☐ Renzo non troverà mai Lucia.

b ☐ Renzo troverà Lucia ormai morente.

c ☐ Lucia fuggirà via da Renzo, a causa del suo voto alla
Madonna.

d ☐ Renzo troverà Lucia e lei accetterà di sposarlo.

e ☐ Renzo troverà Lucia, ma lei si farà monaca.

Capitolo 9

L'incontro

7 Chi avrebbe mai detto a Renzo, qualche ora prima, che proprio nel momento decisivo della sua ricerca, il suo cuore sarebbe stato diviso tra Lucia e Don Rodrigo? Eppure era così: l'immagine del malato si mescolava con tutte quelle, amate o terribili, che la speranza o la paura gli mettevano davanti di momento in momento. Le parole sante dette da fra Cristoforo vicino al letto di Don Rodrigo si mescolavano ai tanti pensieri che combattevano dentro la sua mente.

Così, con il cuore inquieto, Renzo comincia a cercare Lucia nella cappella del lazzaretto, dove si trovavano i pochi fortunati guariti dalla peste. Tra questi però Lucia non c'era. Ormai la situazione migliore era di trovarla ammalata. Nel cuore di Renzo la speranza combatteva con una paura sempre più grande di momento in momento e il giovane pregava Dio, attaccandosi con tutte le forze a quel filo di speranza* che ancora aveva. Ma, più che una preghiera, era una confusione di parole, esclamazioni, lamenti: uno di quei discorsi che non è possibile fare agli uomini perché non li capirebbero. Di fronte a

---

filo di speranza una speranza debole, piccola

tanta confusione avrebbero solo disprezzo, non compassione.

Sostenuto da un filo di speranza, Renzo si incammina tra le capanne e va nel quartiere dove si trovavano le donne. All'improvviso vede a terra un campanello, uno di quelli che i monatti* portavano a un piede come segno di riconoscimento. Lo prende e lo indossa di nascosto, per sembrare un monatto ed entrare più facilmente nel quartiere delle donne.

Lì dentro c'erano nuove miserie, in parte così simili a quelle già viste, in parte così diverse: perché sotto la stessa sventura qui c'era una sofferenza diversa, un diverso lamentarsi e un diverso aiutarsi a vicenda. C'erano, in chi guardava, una diversa pietà e diverso ribrezzo.

Aveva già fatto non so quanta strada, senza risultati, quando sente dietro le spalle un "Oh!", una chiamata che sembrava diretta a lui. Si gira e vede un uomo che gli grida:

– Là nelle stanze c'è bisogno d'aiuto!

Renzo capisce subito che, a causa del campanello, lo avevano scambiato* per un monatto e che lo chiamavano per portare via i malati. Subito si allontana per togliersi il campanello di nascosto e va in un piccolo spazio tra due capanne. Qui, mentre si toglie il campanello, sente una voce che proviene proprio da una delle capanne…

– Oh cielo! È possibile?

Tutta la sua anima è nell'orecchio che ascolta quella voce: il respiro è sospeso…

– Sì! Sì! È la sua voce!

– Paura di che? – diceva quella voce dolce. – Abbiamo passato ben altro che un temporale. Chi ci ha protette finora, ci proteggerà anche adesso.

---

monatti uomini che portavano gli appestati nel lazzaretto o che portavano via i cadaveri

scambiare per sembrare una persona diversa

Renzo non aveva urlato, non per paura di farsi notare, ma solo perché non ne aveva il fiato. Gli tremavano le ginocchia, gli si appannava* la vista, ma tutto ciò solo in un primo momento: al secondo, stava già in piedi, più sveglio, più energico di prima. In tre salti è sulla porta della capanna, vede chi aveva parlato, la vede in piedi, chinata sopra un lettuccio. Lei al rumore si gira, guarda e crede di vedere male, di sognare. Poi guarda più attenta e grida:

– Oh, Signore benedetto!

– Lucia! Vi ho trovata! Siete proprio voi! Siete viva! – esclama Renzo, avanzando tutto tremante.

– Oh, Signore benedetto! – ripete ancora più tremante Lucia. – Voi? Come è possibile? In che maniera? Perché? La peste!

– L'ho avuta. E voi…?

– Ah!… Anch'io. E mia madre…?

– Non l'ho vista, perché è al paese di Pasturo e secondo me sta bene. Ma voi… come siete ancora pallida! Come sembrate debole! Guarita però, siete guarita?

– Il Signore mi ha voluto lasciare ancora quaggiù. Ah, Renzo! Perché siete qui?

– Perché? – dice Renzo avvicinandosi sempre di più a Lucia. – Mi domandate perché? Avete bisogno che ve lo dica? Non mi chiamo più Renzo, io? Non siete più Lucia, voi?

– Ah, cosa dite?! Cosa dite?! Ma mia madre non vi ha fatto scrivere…?

– Sì, purtroppo mi ha fatto scrivere. Belle cose da far scrivere a un povero disgraziato sofferente e senza casa, a un giovane che non vi aveva mai causato un problema o fatto del male!

– Ma Renzo! Renzo! Dato che sapevate del mio voto alla

appannarsi non vedere più bene

Madonna... Perché venire? Perché?

– Perché venire? Oh Lucia! Dopo tante promesse! Non siamo più noi? Non vi ricordate più? Che cosa ci mancava?

– Oh, Signore! – esclama dolorosamente Lucia, con le mani giunte e alzando gli occhi al cielo. – Perché non mi avete fatto la grazia di portarmi in cielo...! Oh, Renzo! Cosa avete mai fatto? Ecco, cominciavo a sperare che... con il tempo... mi sarei dimenticata...

– Bella speranza! Belle cose da dirmi in faccia!

– Ah, cosa avete fatto?! E in questo luogo?! Tra queste miserie! Qui dove non si fa altro che morire, avete potuto...!

– Bisogna pregare Dio per quelli che muoiono e sperare che andranno in un buon luogo, ma non è giusto che quelli che vivono debbano vivere disperati...

– Ma, Renzo! Renzo! Voi non pensate a quello che dite. Una promessa alla Madonna! Un voto!

– E io vi dico che sono promesse che non contano nulla.

– Oh, Signore! Cosa dite? Dove siete stato in questo tempo? Chi avete frequentato? Come parlate?

– Parlo da buon cristiano e della Madonna penso meglio io di voi! Infatti credo che non vuole voti e promesse a svantaggio del prossimo*. Se la Madonna aveva parlato, oh, allora! Ma cos'è stato? Una vostra idea. Sapete cosa dovete promettere alla Madonna? Promettetele che chiameremo la nostra prima figlia Maria. Questo lo prometto anch'io, queste sono cose che fanno ben più onore alla Madonna, questi sono voti che non portano danno* a nessuno.

– No, no; non dite così: non sapete quello che dite! Voi non sapete cosa significa fare un voto, non ci siete stato voi in quella situazione, non avete provato! Andate, andate, per amor del cielo!

prossimo (qui) degli altri
danno problema

E si allontana da lui, tornando verso il lettuccio.

– Lucia! – dice Renzo, senza muoversi. – Ditemi almeno: senza questo voto… sareste la stessa per me?

– Uomo senza cuore! – risponde Lucia, girandosi e trattenendo a stento* le lacrime. – Una volta dette delle parole inutili, delle parole che forse sono peccati, sareste contento? Andate, oh andate! Dimenticatevi di me: si vede che non eravamo destinati! Ci rivedremo lassù: non dobbiamo stare molto in questo mondo. Andate e dite a mia madre che sono guarita, che anche qui Dio mi ha sempre protetta e che ho trovato questa brava donna, che mi fa da madre. Ditele che spero sia in buona salute e che ci rivedremo quando Dio vorrà, e come vorrà… Andate, per amor del cielo, e non pensate a me… se non quando pregherete il Signore.

E, come chi non ha più altro da dire, né vuole sentire altro, come chi vuole allontanare un pericolo, va ancora più vicino al lettuccio, dov'era la donna di cui aveva parlato.

– Sentite, Lucia, sentite! – dice Renzo, senza però avvicinarsi di più.

– No, no! Andate per carità!

– Sentite… fra Cristoforo…

– Che?

– È qui.

– Qui? Dove? Come lo sapete?

– Gli ho parlato poco fa e un religioso della sua qualità, mi sembra…

– È qui! Per assistere i poveri appestati, sicuro! Ma lui? Ha avuto la peste?

– Ah, Lucia! Ho paura, ho paura purtroppo…

E mentre Renzo esitava così a proferire la parola dolorosa per

---

a stento con difficoltà

lui, e che doveva esserlo anche per Lucia, questa si era allontanata dal lettuccio e si avvicinava a lui:

– Ho paura che l'abbia adesso!

– Oh, povero sant'uomo! Ma cosa dico, pover'uomo? Poveri noi! Com'è? È a letto? È assistito?

– È in piedi, gira, assiste gli altri... ma se lo vedete, che colore che ha, come è debole! Ne ho visti tanti e tanti e purtroppo... non si sbaglia!

– Oh, poveri noi! Ed è proprio qui!

– Qui, e poco lontano: poco più che da casa vostra a casa mia... se vi ricordate...!

Così Renzo corre a chiamare fra Cristoforo e quando lo trova grida:

– L'ho trovata!

– E come sta? – chiede il frate.

– Guarita o almeno in piedi.

– Ringraziamo il Signore!

– Ma... – dice Renzo sottovoce, – c'è un altro impiccio.

– Cosa c'è?

– Voglio dire che... Lei lo sa come è buona quella povera giovane, ma a volte ha delle idee strane e non le cambia facilmente... Dopo tante promesse e tanti impicci, ora dice che non mi può sposare! Dice che, quella notte della paura, ha fatto un voto alla Madonna donando se stessa. Cose senza senso, non è vero? Cose buone, per chi sa farle con scienza* e coscienza, ma per noi gente comune, che non sappiamo bene come si devono fare... sono cose che non valgono, vero?

– Andiamo da lei, – risponde subito fra Cristoforo.

– Vuol dire che lei la convincerà...

scienza (qui) cultura, conoscenza

– Non so niente, figliuolo: devo prima parlare con lei.

Raggiunta Lucia, il buon frate parla con lei e, una volta capita la situazione, dice a voce alta:

– Con l'autorità che ho dalla Chiesa, vi dichiaro libera dal voto e da ogni obbligo. Dio gradisce i voti, ma solo quelli che riguardano noi e la nostra volontà, non la volontà degli altri. Chiedete di nuovo a Dio di essere una moglie santa. Amatevi come compagni di viaggio: con il pensiero di avervi l'un l'altro sulla terra e la speranza di ritrovarvi per sempre in cielo. Sapete chi Renzo ha visto qui?

– Sì…

– E allora pregate per lui.

Cominciava a piovere e Renzo, uscito felicissimo dal lazzaretto, si rallegrava di quella pioggia. Faceva certi respiri grandi e pieni! Godeva dei profumi che la natura, bagnata dalla pioggia, gli regalava. Va subito a cercare Agnese nel paesello dov'era andata per sfuggire alla peste. La trova e le dice che il Signore, oltre ad aver protetto lui, ha protetto anche Lucia: la ragazze è sana e salva e tornerà presto. Insieme decidono che, in futuro, sarà meglio andare a vivere nel paese vicino Bergamo che aveva ospitato Renzo per tutto quel tempo e dove abitava suo cugino Bortolo. Intanto Lucia aveva saputo, con grande dolore, che fra Cristoforo era morto di peste.

Finalmente, dopo tanti viaggi e tante sventure, Renzo e Lucia possono cominciare i preparativi per il loro matrimonio. Don Abbondio, però, che è restato il solito uomo senza coraggio, non è sicuro della morte di Don Rodrigo e tenta di trovare nuovi impicci. Finalmente, ormai sicuro della morte di Don Rodrigo grazie a vari testimoni, è ben contento di celebrare il matrimonio dei due giovani. Arriva anche un'altra buona notizia: il marchese che ora possiede il palazzotto di Don Rodrigo, decide di cancellare, con la sua autorità, la condanna di Renzo dopo la rivolta di Milano.

E finalmente arriva quel benedetto giorno! I due promessi vanno, con sicurezza trionfale, in chiesa dove, proprio per bocca di don Abbondio, diventano sposi. Ma un altro trionfo li aspetta. Il marchese, infatti, aveva deciso di comprare la terra e le casette di Renzo e Lucia. Chissà che cosa avranno pensato i due sposini facendo quella salita ed entrando in quella porta, chissà che discorsi avranno fatto... Il marchese offre loro anche un bel pranzo ma, in mezzo a quella grande allegria, tutti dicevano che, per completare la festa, mancava il povero fra Cristoforo.

– Ma lui, – dicevano poi, – sta meglio di noi sicuramente.

Terminato il pranzo e presi i soldi della vendita, i Tramaglino partono finalmente per il paese dove abita Bortolo. Qui Renzo compra, insieme al cugino, un filatoio.

Dolori e impicci come quelli che hanno sofferto i due sposi non ce ne sono stati più. Da quel momento hanno avuto una vita tranquilla e felice e anche gli affari sono andati benissimo.

Dopo neanche un anno di matrimonio nasce una bella creatura* e, per permettere subito a Renzo di mantenere la promessa alla Madonna, la creatura è proprio una bambina e Maria il suo nome.

Con il tempo Renzo e Lucia hanno avuto molti figli e Agnese li portava di qua e di là, l'uno dopo l'altro, chiamandoli "cattivacci" e dando sui loro visi dei grandi baci. Tutti avevano imparato a leggere

---

creatura (qui) bambino appena nato

e scrivere, per volontà di Renzo. Il bello era sentirlo raccontare le sue avventure: finiva sempre dicendo che, grazie ad esse, aveva imparato grandi cose e... anche a comportarsi meglio.

– Ho imparato, – diceva, – a non mettermi nelle rivolte, a non predicare in piazza e a non bere troppo. E cento altre cose.

Lucia non trovava* falsi questi discorsi di Renzo, ma non ne era soddisfatta: le sembrava che mancasse qualcosa. A forza di sentire ripetere la stessa canzone, e a forza di pensarci sopra, alla fine dice:

– E io, cosa ho imparato? Io non sono andata a cercare i guai: sono loro che hanno cercato me. Oppure, se volete pensare così, – aggiunge sorridendo dolcemente, – il mio sbaglio è stato quello di volervi bene e di promettervi a voi.

Renzo rimane senza parole. Poi, dopo un lungo parlare e ragionare insieme, concludono che i guai spesso vengono perché c'è una ragione: il comportamento più prudente e più innocente non basta a tenerli lontano. E quando vengono, o per colpa o senza colpa, la fiducia in Dio li rende più facili da sopportare e utili per una vita migliore.

---

trovare (qui) pensare che

CILS – Comprensione

1 **Metti in ordine cronologico gli eventi del capitolo.**

☐ Improvvisamente, Renzo sente una voce: è quella di Lucia!

☐ Fra Cristoforo libera Lucia dal suo voto.

☐ Fra Cristoforo muore di peste.

☐ Il marchese che ha preso il posto di Don Rodrigo compra la casa dei due giovani e libera Renzo dalla condanna.

[7] Per muoversi liberamente nel lazzaretto, Renzo indossa un campanello da monatto.

☐ Renzo e Lucia si sposano e hanno molti figli e una vita felice.

☐ Renzo va a cercare fra Cristoforo per risolvere il problema del voto di Lucia.

☐ Renzo va subito a cercare Agnese.

☐ Lucia si rifiuta di sposare Renzo perché, gli spiega, ha fatto un voto alla Madonna.

2 **Collega le seguenti frasi al personaggio che le ha dette.**

	Renzo	Lucia
1 Bisogna pregare Dio per quelli che muoiono e sperare che andranno in un buon luogo, ma non è giusto che quelli che vivono debbano vivere disperati...		
2 Il Signore mi ha voluto lasciare ancora quaggiù.		
3 Chi ci ha protette finora, ci proteggerà anche adesso.		
4 E io vi dico che sono promesse che non contano nulla.		
5 Ho imparato a non mettermi nelle rivolte, a non predicare in piazza e a non bere troppo. E cento altre cose.		
6 Io non sono andata a cercare i guai: sono loro che hanno cercato me.		

Lessico

3 Trova l'aggettivo adeguato per ciascun personaggio del romanzo.

1 Agnese conosce la vita e ne ha esperienza.

_____

2 Don Rodrigo vuole sempre far prevalere la sua volontà sugli altri.

_____

3 Don Abbondio ha paura dei problemi e delle difficoltà.

_____

4 Renzo è una testa calda, non riesce a dominare i suoi impulsi.

_____

5 Fra Cristoforo si mette sempre al servizio degli altri.

_____

6 Lucia è una ragazza semplice e umile.

_____

Scriviamo

4 Riassumi brevemente l'incontro di Renzo e Lucia nel lazzaretto. I due giovani provano le stesse emozioni? Che opinione ha Renzo di Lucia ora? E Lucia di Renzo? Come si risolve il problema del voto?

_____

_____

_____

_____

_____

_____

_____

_____

Parliamo

5 Secondo te, la conclusione del libro contiene una morale? Quale? Confrontati con un compagno.

Alessandro Manzoni (1785 – 1873)

I primi anni

Alessandro Manzoni nasce a Milano nel 1785 da Pietro Manzoni e Giulia Beccaria, figlia del giurista Cesare Beccaria, il famoso autore del libretto *Dei delitti e delle pene*, in cui si proponeva l'abolizione della pena di morte. Dopo la separazione dei genitori, Manzoni va a studiare nei migliori collegi religiosi della città. Finiti gli studi, frequenta la ricca e colta società milanese e diventa amico dei più grandi letterati dell'epoca.

La conversione

Nel 1805 raggiunge la madre a Parigi dove rimane fino al 1810. Nel 1808, durante un viaggio a Milano, conosce e sposa Enrichetta Blondel, figlia di un pastore protestante. Enrichetta, donna dolce e generosa, si era convertita al cattolicesimo e Manzoni, osservando il suo esempio, inizia una fase di profonda riflessione, riavvicinandosi lentamente alla religione. Nel 1810 avviene la conversione definitiva e Manzoni torna a Milano.

Anni difficili

Nel 1833 muore Enrichetta e, poco dopo, muoiono anche quattro dei suoi nove figli: comincia così per Manzoni una vita dolorosa e difficile. Si sposa una seconda volta con Teresa Borri Stampa con la quale non ha però una vita familiare felice. Nominato senatore per il grande amore dimostrato verso l'Italia, è favorevole alla nascita del Regno d'Italia e al passaggio della capitale da Torino a Firenze, in attesa della liberazione di Roma. Muore nel 1873, a 88 anni, viene sepolto nel cimitero monumentale di Milano. Giuseppe Verdi scrive per lui una messa da Requiem.

Ritratto di Alessandro Manzoni, Francesco Hayez (1841)

La riscoperta della fede

La casa milanese di Alessandro Manzoni

Il 1810 segna un momento importante per la vita di Manzoni che, dopo anni di indifferenza verso la religione cattolica, riscopre lentamente la fede. Secondo alcuni biografi, la conversione sarebbe nata da un episodio accaduto nella chiesa di San Rocco a Parigi, dopo aver perso la moglie nella folla, durante i festeggiamenti per il matrimonio tra Napoleone e Maria Luisa d'Austria. In realtà, la sua conversione nasce dal lungo processo di riflessione in cui lo scrittore, frequentando gli ambienti giansenisti, viene a contatto con l'idea che la Grazia divina è fondamentale per raggiungere la salvezza: tema, questo, alla base dei Promessi Sposi.

Uno studio di Francesco Hayez per il Conte di Carmagnola (1820)

Nel 1810 Manzoni ed Enrichetta si trasferiscono definitivamente a Milano. Qui Manzoni decide di scrivere solo opere di carattere politico o religioso. Nel 1812 comincia a scrivere gli *Inni sacri* e tra il 1816 e il 1820 scrive la prima tragedia, il *Conte di Carmagnola*, dove condanna le difficoltà che impediscono l'Unità d'Italia. Scrive anche alcune *Odi* vicine ai temi del Risorgimento fra le quali ricordiamo soprattutto *Marzo 1821* e la famosissima *Cinque maggio*, sulla morte di Napoleone. Tra il 1820 e il 1822 compone la seconda tragedia: l'*Adelchi*. Scrive anche vari saggi di argomento storico e letterario, avvicinandosi al movimento romantico.

Una curiosità

La prima banconota da 100.000 lire è stata dedicata proprio ad Alessandro Manzoni. Il retro della banconota mostra "Quel ramo del lago di Como", che fa da ambientazione ai *Promessi Sposi*.

I promessi sposi

Un nuovo genere di romanzo

Per Alessandro Manzoni la storia è l'ispirazione principale della letteratura. Ecco perché lo scrittore sente il bisogno, con il racconto di eventi storici, di dare voce proprio agli umili e ai poveri che generalmente sono esclusi dagli eventi importanti. In realtà, sono loro i reali protagonisti della storia, capaci anche di cambiarla. Per scrivere la "sua" storia, Manzoni ha dunque bisogno di un genere che permetta di mescolare verità e invenzione, di parlare di fatti veri attraverso fatti inventati. Ha bisogno, insomma, del romanzo storico. Ma in Italia non c'era ancora una tradizione in questo senso e non esistevano modelli utili. Manzoni si trova quindi a creare un genere nuovo nella letteratura italiana.

Una delle difficoltà maggiori per il Manzoni è documentarsi in modo preciso per conoscere gli usi e costumi, la burocrazia, il governo e le

Lucia Mondella, Eliseo Sala (1843)

leggi del 1600 in Lombardia, dove *I promessi Sposi* sarebbero stati ambientati. L'altra difficoltà, ancora più grande, è la questione della lingua.

La questione della lingua

Quale lingua devono parlare i personaggi manzoniani? Sono personaggi del popolo e, quindi, dovrebbero parlare in dialetto. L'intenzione di Manzoni, però, è quella di permettere a tutto il pubblico italiano di leggere il romanzo, quindi non può usare il dialetto lombardo che nessuno capisce nelle altre regioni. Lo stesso Manzoni conosce solamente l'italiano letterario, che nasce dall'italiano parlato e scritto nel 1300 a Firenze: l'italiano di Dante Alighieri, insomma. Nel corso della sua storia l'Italia, conquistata e divisa in stati piccoli e grandi, non ha mai avuto una lingua unica, ma solo tanti dialetti parlati nelle diverse zone. Ma poveri operai come Renzo e Lucia non possono certo parlare un italiano poetico e letterario!

La lettura in famiglia di un punto commovente dei Promessi Sposi, Emilio De Amenti (1876)

Inventare una lingua nuova

Alessandro Manzoni ha bisogno di una lingua nuova, che non sia quella della tradizione poetica e letteraria, ma neanche dialetto. Una lingua ricca, espressiva, naturale. "Impresa veramente tra le più disperate quella di scrivere bene un romanzo in italiano", scriveva Manzoni nel 1821, a causa delle enormi difficoltà che gli si presentavano.
Pensa, quindi, di usare l'italiano parlato dai fiorentini colti: una lingua pulita, musicale, semplice e realistica, da sempre adatta all'invenzione letteraria. Decide così di andare a Firenze per "sciacquare i panni in Arno", cioè ascoltare e 'imparare' il toscano. Sarà comunque una impresa difficile quella di scrivere in toscano: se la prima edizione del romanzo è del 1827, quella definitiva è del 1840.

Il fiume Arno a Firenze

Milano e la Lombardia: un po' di storia

Milano nel 1573

Dall'impero romano al XVIII secolo

I Promessi Sposi sono ambientati nel nord Italia, in vari paesini e cittadine dell'attuale Lombardia e a Milano, che nel III secolo a. C., dopo essere stata conquistata dai Romani, prende il nome di Mediolanum ("in mezzo alla pianura"). Secondo alcune descrizioni dell'epoca, Milano era una città ricca, con grandi e bei palazzi, i suoi abitanti erano abili negli affari e socievoli. Il circo, i templi, il palazzo imperiale e le case nobiliari erano decorate con statue di marmo: una città di grande bellezza e importanza, quindi. Successivamente la città viene occupata dai Longobardi, una popolazione germanica da cui deriva il nome "Lombardia". Il regno Longobardo finisce nel 774 con la conquista di Pavia da parte di Carlo Magno

Nel 1277 Ottone Visconti entra a Milano e diventa signore della città

La dominazione spagnola

I fatti raccontati nei *Promessi Sposi* si svolgono tra il 1628 e il 1630, durante il periodo in cui gli Spagnoli dominavano il Ducato di Milano, conquistato da Carlo V verso la fine del XVI

Ritratto di Carlo V, Rubens (1620 circa)

Ritratto di Adelchi, figlio dell'ultimo re Longobardo Desiderio

che, nell'800, diventa il primo imperatore del Sacro Romano Impero.
Alessandro Manzoni racconta la vita di Adelchi, figlio dell'ultimo re longobardo, nella tragedia che ha lo stesso nome.

Verso la fine del Medioevo, molte famiglie nobili e potenti lottano per avere il potere su Milano. Con la vittoria dei Visconti, dei Gonzaga e, nel 1500, degli Sforza, Milano vive un periodo di grande crescita commerciale e artistica. Dal XIV al XVIII secolo, la città fa parte del Ducato di Milano, un antico Stato dell'Italia settentrionale che possiede, per secoli, circa la metà dell'attuale regione Lombardia.

secolo. Durante la dominazione spagnola, Milano vive un periodo di grande povertà, decadenza morale e ingiustizia sociale. La legge, infatti, favorisce sempre i ricchi e i nobili, mentre è crudele e ingiusta con i poveri. Il popolo deve pagare moltissime tasse su tutto, dalla farina al legno, dai cereali alle attività commerciali. Ultima disgrazia, la peste che, diffusa in tutta Europa, colpisce Milano nel 1630 dimezzando la popolazione della città: da 130.000 abitanti a 65.000 abitanti. Dopo la peste, a causa della morte di migliaia di persone, la campagna non viene più coltivata, manca il cibo, molti negozi e fabbriche chiudono e la povertà si diffonde dappertutto. È in questa situazione sociale ed economica che si svolge la storia dei *Promessi Sposi*.

La maschera e gli abiti usati dai medici per difendersi dalla peste

107

I promessi sposi al cinema, tv e teatro

Al cinema

I promessi pposi hanno ispirato molti film, spettacoli teatrali, musical e trasmissioni televisive. Tra questi, il primo film importante è stato quello del grande regista Mario Camerini, nel 1941, dove lo straordinario Gino Cervi interpretava Renzo. Il film, che segue la storia del romanzo molto attentamente, ha avuto un successo incredibile.
Un altro bellissimo film è quello del regista Mario Maffei, del 1963. Nella storia del cinema italiano è il quinto film sui *Promessi sposi* (il primo è del 1909). Girato in Italia e in Spagna, non ha purtroppo lo stesso successo del film di Camerini perché, secondo il pubblico, è troppo sentimentale e non racconta bene la situazione storica del periodo.

In televisione

Il 1967 è l'anno dello sceneggiato televisivo a puntate del regista Sandro Bolchi, uno sceneggiato davvero ben fatto, anche grazie all'attento lavoro di ricostruzione della storia, dei luoghi, dell'abbigliamento: uno studio durato tre anni. Bravissimi gli attori: Nino Castelnuovo interpretava Renzo, Paola Pitagora Lucia e Massimo Girotto fra Cristoforo. Questo sceneggiato viene trasmesso di nuovo nel 1973, nei primi anni '80 e nel 1990, sempre con successo.

Un vero capolavoro è lo sceneggiato del regista Salvatore Nocita, nel 1989, con un cast di attori davvero straordinario: il grande Alberto Sordi è don Abbondio, Burt Lancaster è il Cardinale Borromeo, Franco Nero è fra Cristoforo e Helmut Berger è Egidio. I bellissimi Danny Quinn e Delphine Forest sono Renzo e Lucia. La colonna sonora è di Ennio Morricone.

Infine, indimenticabile, la parodia comica del romanzo fatta dal trio di attori Tullio Solenghi, Massimo Lopez e Anna Marchesini nel 1989. Cinque puntate divertentissime in cui vediamo la monaca di Monza con grandi baffi neri, Lucia che, per entrare nel convento, deve fingere di essere Heidi altrimenti non le aprono, don Abbondio che incontra Cappuccetto Rosso prima dei bravi e questi che parlano come Stan Laurel e Oliver Hardy.

Il musical

Il 29 aprile 2010 va in scena per la prima volta nel Duomo di Milano il musical ispirato al celebre romanzo di Alessandro Manzoni. L'amore fra i due protagonisti ha come sfondo il contesto storico e sociale presente nel romanzo e tratta i temi dell'Amore e del Potere, della Giustizia e della Fede. Il primo spettacolo nazionale, però, è del 18 giugno, allo stadio San Siro di Milano. Da allora, un successo dopo l'altro.

Comprensione

1 **Ecco un riassunto dei *Promessi Sposi*. Ci sono 10 errori, trovali e correggili.**

Renzo e Lucia sono due giovani fidanzati. Il crudele don Abbondio, signorotto del luogo, per un suo capriccio, impedisce il loro matrimonio. Dopo aver tentato di sposarsi lo stesso, i due devono lasciare il loro paese sul lago di Garda. Su consiglio del buon fra Cristoforo, Lucia e sua madre Agnese si nascondono in un castello dove una potente monaca, detta 'la signora di Monza', le proteggerà. Renzo, invece, va a Bergamo. Qui il popolo è in rivolta, a causa del prezzo del sale troppo alto. Renzo parla in pubblico dell'ingiustizia dei signorotti prepotenti che ignorano le grida dei poveri e viene arrestato. Nessuno lo aiuta, ma riesce a scappare per andare dal suo amico Tonio che abita vicino Bergamo. Intanto Don Rodrigo organizza con l'innominato il rapimento di Lucia: per questo c'è bisogno però dell'aiuto del cardinale Borromeo. Ma Lucia riesce a toccare il cuore dell'innominato che, dopo una lunga lotta tra il bene e il male, si pente di tutte le sue scelleratezze e ritrova la fede e Dio. Intanto infuria la peste, che fa centinaia di morti. Anche il buon don Abbondio, che tanto aveva aiutato Renzo e Lucia, morirà di peste. Nel lazzaretto di Milano, grazie alle parole di fra Cristoforo, Renzo non solo perdona Don Rodrigo morente, ma trova addirittura Lucia. I due non si sposano perché Lucia ha fatto un voto alla Madonna.

Scriviamo

2 **Fai un breve riassunto di questi episodi.**

A Il matrimonio a sorpresa (Capitolo 3)

_____

B La rivolta di Milano (Capitolo 4)

_____

C L'incontro tra l'innominato e il Cardinale Federico Borromeo (Capitolo 7)

_____

D Renzo vede Don Rodrigo morente nel Lazzaretto (Capitolo 8)

_____

SILLABO DEI CONTENUTI MORFOSINTATTICI

Livello B1

Pronomi relativi
Pronomi e aggettivi indefiniti

Complementi indiretti
Aggettivi e sostantivi alterati
Alcune espressioni idiomatiche
Locuzioni avverbiali
Locuzioni temporali e spaziali

Congiuntivo, condizionale
Imperfetto, trapassato prossimo,
Imperativo affermativo e negativo
Futuro semplice ed anteriore
Infinito per istruzioni

Coordinate e subordinate temporali
Interrogative dirette-indirette
Ipotetiche
Discorso diretto ed indiretto
Avvio all'uso della forma impersonale

Letture Graduate ⊞ Giovani

LIVELLO 2   Mary Flagan, *Il souvenir egizio*
Emilio Salgari, *Le tigri di Mompracem*

LIVELLO 3   Maureen Simpson, *Destinazione Karminia*

LETTURE GRADUATE ⊞ GIOVANI ADULTI

LIVELLO 2   Carlo Collodi, *Le avventure di Pinocchio*

LIVELLO 3   Giovanni Verga, *I Malavoglia*
Alessandro Manzoni, *I promessi sposi*